See him "study", see him "swot" —

Then see whit Horace Broon has got!

IT'S MY TOY TRACTOR!
AWA'! IT WIS IN MY CHRISTMAS STOCKING!

QUIET, YOU TWA! I'VE GOT TAE GET ON WI' THIS!
CHUNTER!
CHATTER!
AYE, SHUSH, A'BODY! HORACE IS BUSY!

TCH!
MAW! SSH!

LEAVE THAT JUST NOW! YE'RE DISTURBIN' HORACE.
SORRY, HORACE!
I'VE GOT TAE FINISH THIS TONIGHT.

LET'S SEE THE NEWS!

NO' SAE LOUD, PAW! CAN YE NO' SEE HORACE IS BUSY?
SORRY, HORACE. I'LL PIT THE TELLY RIGHT AFF!

WHISPER! PUIR HORACE. FANCY GETTIN' HOMEWORK ON HIS CHRISTMAS HOLIDAYS.
AYE, AND IT SEEMS TAE BE GETTIN' HARDER A' THE TIME! I HOPE HE'S NO' STUCK!

FINISHED!
OH, WEEL DONE, SON! WAS IT DIFFICULT?

NO, IT WAS GREAT! BUT THE BAIRN WANTED HER BEANO BOOK BACK AFORE BEDTIME!
WELL!
GASP!
T'ANK YOU!

A hint or two —

For you-know-who!

DAGGERS!
GLARE!
HMPH!

CHITTER
SHEESH!
BY JINGS, IT'S NO' HALF CAULD!
AYE, WINTER'S REALLY WI' US NOW!

THANK GUIDNESS I GOT THIS BIG SCARF AT CHRISTMAS!
IT'S JIST AS WEEL THE JERSEY DAPH KNITTED ME IS BIG ENOUGH TAE GO OWER MY ITHER SWEATER!

DO YOU MIND IF I BORROW YOUR DRESSING GOWN, DAPHNE?
NO, I'VE BORROWED YOUR NEW MITTS!

SHOVE OWER A BIT AN' WE'LL A' COSY UNDER THE BLANKET!

ONYBODY ELSE WANT A HOT WATER BOTTLE?

A'RICHT! I CAN TAK' A HINT!

I KEN IT'S MY TURN TAE GO DOON TAE THE CELLAR FOR MAIR COAL!
PHEW!
AT LAST!
ABOOT TIME, TAE!

The BROONS

£3.25

D. C. THOMSON & Co. Ltd., GLASGOW: LONDON: DUNDEE

Printed and published by D. C. Thomson & Co., Ltd., 185 Fleet Street, London EC4A 2HS.

ISBN 0-85116-526-5

Early hame for tea? —

That's whit he THOUGHT he'd be!

THE WORKS' MACHINES HAVE BROKEN DOON. I'LL PHONE MAW AN' TELL HER I'LL BE HAME EARLY!

BUT—
SO I SAID TAE HIM, YE'LL TAK' THAT MINCE BACK OR I'LL NEVER SET FOOT IN YER SHOP AGAIN, AN' HE SAID . . .
TCH!

EH?
RAP!
RAP!

TELEPHONE
THERE'S A CLOCK ON THE STEEPLE IF YE WANT TAE KEN THE RICHT TIME . . .
BUT — ACH, I'LL GO TAE ANITHER TELEPHONE BOX . . .

TOO LATE!
SORRY!
HMPH! THERE'S ANITHER ANE AT THE POST OFFICE . . !

POST OFFICE
AHEM!
OUT OF ORDER
TCH! WID YE CREDIT IT!

AN EMPTY BOX! I'M GOIN' TAE BE LUCKY AT LAST!

CRIVVENS! I'VE NAE CHANGE! I'LL HAE TAE GO SOMEWHERE WHERE I CAN GET CHANGE!

EVENTUALLY—
IZZATYOU, MAW? I'M JIST PHONIN' TAE SAY I'LL BE HAME HALF AN HOUR EARLY!

TELEPHONE
EARLY? WHIT ARE YE ON ABOOT? YE'RE TWENTY MEENITS LATE AS IT IS, AND THE TATTIES ARE BURNED BLACK!

There's work for Paw Broon — When the rain pelts doon!

WID YE LOOK AT THAT RAIN. IT'S NO' HALF PELTIN' DOON!
AYE, AND THERE'S WORSE TAE COME, BY THE LOOK O' IT!
AH, WELL, IT'S A BRAW DAY FOR PITTIN' YER FEET UP!
RIGHT!
IT'S A DAY FOR CLEANIN' OOT YER BEDROOM, YE MEAN!
AYE, YE CANNA SEE UNDER YER BED FOR JUNK.
AWA'! IT'S NO' DAEIN' ONYBODY ANY HARM!
NAE ARGUIN'! ON YER FEET!
GET IT OOT — THE LOT!
MICHTY!
TAK' IT DOON TAE THE WASH-HOOSE, OR PIT IT IN THE LOBBY PRESS!
HMPH! WHIT WIS WRANG WI' KEEPIN' IT UNDER THE BED?
AYE, IT'S NO' AS IF IT WIS IN ONYBODY'S WAY!
JUST THEN—
RUMBLE
THUNDER! I KNEW IT!
EEK! EEK!
WELL!
GASP!
HO-HO! NOW YE KEN WHY THEY WANTED THAT SPACE CLEARED! THEY AYE HIDE UNDER THE BED WHEN THERE'S THUNDER!

It's the funniest thing there's ever been —

When wee Bessie Black phones up the queen!

TCH! IS THAT MAGGIE USIN' THE PHONE AGAIN?
AYE, AND I WISH SHE'D HURRY UP. IT'S MY TURN NEXT!
WILL YE BE LANG WI' THE PHONE, DAPHNE? I WANT TAE SPEAK TAE TAM WILSON.
HMPH! MAIR PHONE CALLS!
THEN —
WILL YE BE LANG, JOE? I PROMISED TAE PHONE MRS McNEE . . .
HERE! A' THAE PHONE CALLS COST MONEY!
AND —
HURRY UP, MAW! I WANT TAE CHECK MY HOMEWORK WI' JEANNIE McTAVISH!
ANITHER PHONE CALL!
A' THIS PHONIN' HAS TAE STOP! I'VE A GUID MIND TAE HAE THE PHONE TAKEN OOT!
AULD SKINFLINT!
NEXT DAY —
MAW! IT'S ME — I'M HAME!
SSH! BESSIE BLACK FRAE UPSTAIRS HAS COME DOON TAE USE THE PHONE TAE RING LONDON!
WHIT?
THAT'S IT! I'VE HAD ENOUGH! IT'S BAD ENOUGH OOR AIN FAMILY RUNNIN' UP A PHONE BILL, BUT I'M NO' HAEIN' NEIGHBOURS USIN' IT AS WELL!
HO-HO!
GASP!
HELLO, HELLO! IS THAT THE QUEEN? THIS IS BESSIE FRAE UPSTAIRS . . .
BESSIE DISNAE HAE A WEE PHONE LIKE MINE . . .
CHUCKLE!

The parkie disnae think it's funny —

When Granpaw tries tae find his money!

THERE'S GRANPAW HAVIN' A WALK IN THE PARK, AS WELL!
HELLO! WHAT'S UP WI' HIM?
GRANPAW! WHAT'S WRONG?
I DROPPED A POUND NOTE SOMEWHERE ABOOT HERE!
DINNA WORRY! WE'LL HELP YE FIND IT!
HMM!
IT'S NO' HERE!
NOR HERE!
LITTER
MAYBE IT BLEW INTO THE BUSHES!
HERE! WHAT'S A' THIS?
OH, WE'RE NO' BEING VANDALS!
WE'RE LOOKIN' FOR SOME MONEY GRANPAW LOST!

AN' WHEN DID YE LOSE THIS MONEY?
OH . . . IT MUST BE NEAR FORTY YEARS AGO, BUT I AYE LOOK WHEN I COME PAST, JUST IN CASE!

Michty me! Help m'Bob —

Whit's causin' puir Maw Broon tae sob?

IT'LL BE GOOD TAE GET HOME. I'M FAIR JIGGERED!

BUT . . .
MAW, WHITEVER'S THE MATTER?
OOT O' MA WAY! THIS IS AN EMERGENCY!

WHIT'S HAPPENED? IS IT BAD NEWS?
I'LL SAY IT IS!

I CANNAE TALK TO YOU LOT JUST NOW, I'M IN TOO MUCH O' A HURRY!
WHATEVER'S WRONG? I'VE NEVER SEEN HER SO UPSET!

COME ON, MAW, YOU CAN TELL ME!
McTAVISH
NO' JUST NOW, I CANNAE!

OH, THANK GOODNESS, MRS Mc TAVISH! I CAN SEE THAT YOU CAN HELP ME!

WILL SOMEONE TELL ME WHIT'S GOING ON?

OOR TELLY BROKE DOON, JUST AT THE SADDEST BIT O' THE SERIAL!
EH?
THAT'S JUST THE WAY YOU WERE, PAW, WHEN THE TELLY BROKE DOON DURING THE WORLD CUP! SEE GROWN-UPS!

Some funny biz —

Wi' lots o' fizz!

WHAUR'S THE LEMONADE, MAW?
IT'S FEENISHED!

AHA! THE ICE-CREAM VAN WILL BE ROOND ANY MEENIT. I'LL BUY A BOTTLE FROM THAT!

WE'LL GO FOR YOU, PAW!
OH, NO — YOU'LL TAK' AGES CHOOSIN' THE SWEETIES YE HAVE TAE GET FOR GOIN' TAE THE VAN!

NEVER MIND, PAW — I'LL GO FOR YOU!
WHIT? YOU'D TAK' EVEN LONGER THAN THE TWINS!

I KEN FINE YE'VE GOT YER EYE ON THE LAD IN THE VAN!
SWEETS
ICES
DRINKS

LISTEN — THAT'S IT! I'LL GO MASEL'! AND I'LL BE BACK IN HALF A TICK — YOU'LL SEE!
TING .... A .... LING!
HMPH!

JIST LOOK AT HIM — RUNNIN' A' THE WAY TAE THE VAN AND BACK AGAIN.
SUNDAE BEST
WHIT A FUSS — JIST TAE GET A BOTTLE O' LEMONADE!

HOWZAT THEN? DOON THE STAIRS AN' BACK AGAIN IN UNDER A MEENIT! THAT'S THE WAY TAE GET THINGS DONE!
AULD BLAWBAG!

BUT—
FIZZZZZZ!
WHOOSH!
GLUB!
THAT'S WHIT YE GET FOR SHOOGLIN' THE BOTTLE WI' A' THAT RUNNIN'!
HO-HO! SERVES YE RIGHT!

Mischief and cheek — sounds like the twins —

But hae a look — it's the ither yins!

SUPER SUN!
BRAW DAY!
SMASHIN'!

THEN —
BROON! THEY'RE OOT O' CONTROL AGAIN!
OH, NO! NO' AGAIN!

YE SHOULD'VE HEARD THE CHEEK THEY WERE GIVING ME! I HOPE YOU'LL DEAL WI' THEM!
OH, ER, YES, MISTER WILSON!

WHAUR ARE THEY THIS TIME? UP THE TREES, ON THE HUT ROOF, IN THE DUCK POND AGAIN?
NO! OWER . . .

. . . THERE! ON THE SWINGS!
LEAVE THIS TAE ME!

BIG BAIRNS!
HUMMPH!

RIGHT, YOU LOT — OVER HERE!
OH, NO!

NAE ICE-CREAM FOR YOU LOT — AND NAE CHOCOLATE BISCUITS EITHER!
AW, SPOILSPORT!
IT'S THE SAME EVERY TIME WE HAE A PICNIC IN THE PARK. YE'D THINK THEY'D LEARN TO BEHAVE!

The day Paw Broon — Let the family doon!

WE'RE OFF TO HIGH TEA WITH MRS HUNTINGTON-SMYTHE. SEE YOU LATER, DEAR!
HMPH! I'VE GOT THE BAIRNS!
OH, YES, HE LIKES TO TAKE THE CHILDREN FOR OUTINGS TO THE MUSEUM AND ART GALLERY!
EH?
ARE WE GOING TAE THE ART GALLERY, PAW?
ER — NO!
NAW, I'LL TAK' YE TAE JOE'S CAFE FOR A LEMONADE!
YIPPEE!
SEE HOW MUCH I'VE GOT . . . WAA!
CHINK! CHINK!

SCRAMBLE!
NO! WAIT! STOP!
MEANWHILE—
OH, YES, PAW LIKES TO GET REALLY INVOLVED WITH THE CHILDREN ON A SATURDAY!

GERROFF! THAT'S MINE!
NAE CHANCE, MISTER!
HO-HO! YES, I SEE WHAT YOU MEAN — VERY INVOLVED WITH THE CHILDREN INDEED! HEE- HEE!

Here's a sicht tae mak' ye smile —

Snakes an' ladders, Granpaw style!

HAVERS! YE TOOK A DIVE!
FOUL!
TCH! WHIT AN EXHIBITION!

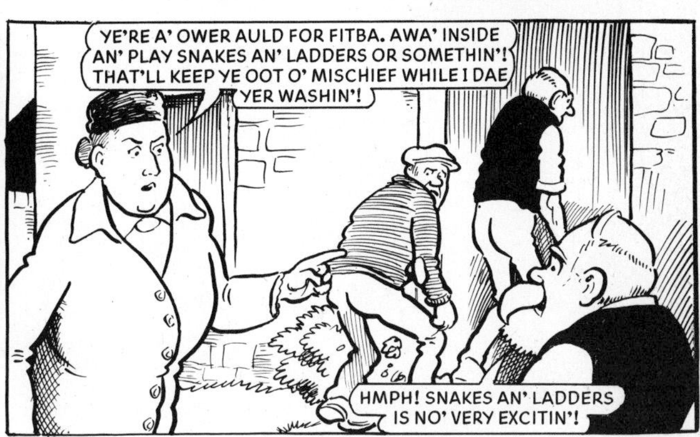

YE'RE A' OWER AULD FOR FITBA. AWA' INSIDE AN' PLAY SNAKES AN' LADDERS OR SOMETHIN'! THAT'LL KEEP YE OOT O' MISCHIEF WHILE I DAE YER WASHIN'!
HMPH! SNAKES AN' LADDERS IS NO' VERY EXCITIN'!

SO —
I'LL HAE FIRST SHOTTIE!
GIE THE DICE A GUID SHAKE!

HUH! NOW YE'VE DONE IT, YE DAFT EEJIT!

COME ON, I KEN WHIT TAE DAE!

SOON —
HUH! WHIT ARE THEY UP TAE NOW? A LADDER . . .

. . . EEK! AND A SNAKE! A REAL SNAKE!

GRANPAW BROON! YE'VE GONE TOO FAR THIS TIME! WHEN I SAID SNAKES AN' LADDERS, I DIDNA MEAN . . .

OH!
HELLO, MAW! I'M JIST USIN' THE VACUUM CLEANER TAE SUCK THE DICE OOT O' THE LIGHT BOWL. I THREW IT IN BY MISTAKE!

KEEP
FIT
CLASS

Keep a straight face if ye can —

At Paw's FAN-tastic plan!

HO-HUM! A COMFY SEAT AND MY FAVOURITE BACCY! I'VE BEEN LOOKIN' FORWARD TAE THIS A' DAY!

BUT—
SNIFF! SNIFF! JINGS! WHIT'S THAT SMELL?

TCH! YOU TWA AND YER FANCY SCENTS. WHIT A SMELL!
HMPH! WHAT A CHEEK!
AH'LL HAVE YE KNOW, THIS IS THE VERY LATEST SCENT — "MOONLICHT IN MINORCHY"!

AND THEN—
HELP M'BOAB! SNIFF! SNIFF! NOW WHIT?

WHA FANCIES A KIPPER FOR TEA?
KIPPERS? PHEW! THEY'LL REEK THE PLACE OOT!

I'VE HAD ENOUGH O' THIS! I SAW THE VERY THING IN TAM GOW'S SECOND-HAND SHOPPIE!

SOON—
WHIT ABOOT THIS, THEN, EH? THIS'LL GET RID O' A' THE SMELLS!

IT'LL SIT FINE ON THE TABLE! NOW TAE SWITCH IT ON!

OH, NO!
OOH! PAW'S WEE PIPE'S BLAWN AWA'!

LATER—
YE WERE RIGHT, PAW! THERE'S NAE REEK IN THE HOOSE NOW, THANKS TAE THAT FAN!
HMPH!
AYE!
CHORTLE!

NOW it's the same —

As a real fitba game!

THEY'RE SHOWIN' THE BIG MATCH ON CLOSED TELEVISION!
CINEMA
AH'M NO' SURE I LIKE THAE FANCY SCHEMES . . .
NEXT WEEK

EXIT
WE'RE JIST IN TIME! THE LIGHTS ARE GOIN' OOT!
HMPH!

HERE WE GO, HERE WE GO . . .
SMASHIN'!
BRAW!
FIDGET

GREAT GEMME, EH, GRANPAW!
NUDGE
ACH, I'M NO' ENJOYIN' IT!

IT'S JIST NO' NATURAL, WATCHIN' FITBA' LIKE THAT! I'LL AWA' AN' HAE A CHAT WI' CHARLIE THE MANAGER.

I KEN EXACTLY WHIT YE MEAN, BROON. I FEEL THE SAME ABOOT IT!
WAIT A MEENIT, THOUGH . . .
ROAD WORKS

COME AWA', THE BOYS!
LISTEN! THAT'S GRANPAW'S VOICE! HE'S ENJOYIN' IT NOW!

THIS IS BETTER! NOW IT FEELS LIKE I'M AT A FITBA' MATCH!
D WORKS

There's trouble when Paw demonstrates —

The secret o' his grand, new plates!

AT THE BUT 'N' BEN —
IT'S HIGH TIME WE GOT A NEW TEA-SET FOR THE BUT 'N' BEN!
AYE, THIS LOT'S A' CHIPPED AND CRACKED!

NEXT DAY —
HERE WE ARE! WE GOT A BRAW SET DOON AT THE VILLAGE SHOPPIE!
TEA SET
WE'D BETTER GIE THEM A WASH AFORE WE START USIN' THEM!

ME AN' JOE WILL DAE IT! AH WIDNAE TRUST YOU LOT WI' NEW DISHES!
CHEEK!
HMPH!
TEA SET

AND SO —
ONE PLATE COMIN' UP!
OKEY-DOKEY!
GASP!
OOH!

OH!
LOOK AT HIM NOW!
ME CANNA LOOK!
YE DAFT GOWK! STOP SHOWIN' AFF! YE'LL SMASH THE LOT IF YE'RE NO' CAREFUL!

ACH, IT'S A'RICHT! WE'VE JIST BEEN TEASIN' YE! THEY'RE PLASTIC — UNBREAKABLE!

YE WINNA SMASH ANYTHING WI' THAE DISHES. LOOK!

CRIVVENS!
PYOING!

JINGS!
SMASH!
WINNA SMASH ANYTHING, EH? HMPH!

AND THE NEXT TIME WE SIT DOON AT THE TABLE, YOU CAN TAK' THE CHAIR BY THE WINDIE!

Stand by for big surprises —

Wi' secret exercises!

ME'S CYCLIN' FRAE JOHN O' END TAE LAND'S GROATS!

EEK!
OH, JINGS! ME'S CRASHED!

I'VE TELT YE AFORE, NO' TAE RIDE YER TRIKE IN THE HOOSE!
AW!

THEN . . .
HELP!
OOH!
GANGWAY!
MIND OOT!

NOW GET IT INTAE YER HEIDS, BAITH THE THREE O' YE! THERE'S TAE BE NAE CYCLIN' IN THIS HOOSE!
ACH!

LATER . . .
WHIRR
WHIT'S THAT FUNNY NOISE!
RATTLE

WELL! WID YE BELIEVE IT!
EFTER WHAT SHE SAID!

COME ON! YOU TELL HER, PAW!

TELL MA TAE STOP CYCLING, PAW!
OCH, I DIDNA WANT ONYBODY TAE SEE ME USIN' DAPHNE'S EXERCISE BIKE!

Paw Broon thinks he knows the lot —

But, jings, jist see whit HE forgot!

HERE'S YER SASSIDGES AND EGG, JOE. YOURS AS WELL, DAPHNE!
QUICK, MAW . . . POUR US A CUPPY!

TCH! WHIT A PALAVER! AND IT'S THE SAME EVERY MORNING. I DINNA KEN WHY YOU LOT CANNA GET ORGANISED, LIKE ME!
HMPH! IT'S NO' OOR FAULT — SLURP — IF WE FORGET TAE SET THE ALARM!

AH, WELL, I DINNA SUPPOSE WE CAN A' HAE GUID MEMORIES!
COME ON, PAW . . . OOT O' THE WAY!

HAVE YE FORGOTTEN SOMETHING, JOE?
EH? NAW, 'COURSE I HAVENAE!

WHIT ABOOT THIS THEN?
MY PIECE! OH, ER, TA!

AND THIS MICHT COME IN HANDY FOR GETTIN' YE TAE YER WORK, HEN!
CRIVVENS! MY BUS PASS!
HURRY UP, PAW! WE'VE NOT FORGOTTEN ANYTHING!

IZZATSO? WHIT'S THIS I FOUND ON THE TABLE THEN?
HELP! OOR PURSES!

COOEE, PAW. ME DINNA THINK YOUR MEMORY'S SO GOOD EITHER!
EH? WHY NO', MAH WEE PET?

10
BECAUSE YE'VE STILL GOT YER BAFFIES ON YER FEETS!
SILLY AULD GOWK!
EFTER A' HIS BLAWIN'!
HO-HO!

Twa wee lads wi' rips in their troosers —

But, look, they're no' the only losers!

COME ON, LET'S HAE A GO ON THE CHUTE!
OKAY!

BUT . . .
HEY! YOU TWA . . . STOP!
EH? WHIT'S HE ON ABOOT?

DINNA USE THAT CHUTE!
STOP YER WORRYIN', GRANPAW. IT'S SAFE ENOUGH!

IT'S NO' THAT! THERE'S A SHARP BIT ON IT!
AWA'!

IT'LL TEAR YER TROOSERS!
AW, WHIT DOES GRANPAW KEN! COME ON, LET'S GO!

SMASHIN'!
WAHEY!

JINGS! HE WIS RICHT!
HOW DID YE KEN, GRANPAW?
TEAR!
RRRIP!

OH, WHEN YE GET TAE MY AGE, YE JIST KEN ABOOT THAE THINGS!
HO-HO!
HA-HA!

ANGLING
COMPETITION

Scared o' a soakin'? —

They must be jokin'!

WHA'S GOIN' TAE HELP BATH MRS GOW'S DUG? WE TOOK HER A WALK AND SHE GOT A' MUDDY!
NAE FEARS! YE'LL GET US A' SOAKED!

SEE? WHIT DID WE TELL YE!
HELP!
SHEESH!

AND THEN —
TAK' THAT!
SCOOSH!
STOPPIT, YOU TWA!

THAT'S ENOUGH! YE'LL HAE US A' SOAKIN' WET IF YE'RE NO' CAREFUL!

AND NEXT —
TCH! THAT WASHIN' MACHINE FAIR TANGLES UP A' THE CLAES! I'LL HAE TAE GIE THEM A GUID SHAKE AFORE I PIT THEM ON THE LINE!
OH, NO! MIND OOT, LADS!

MAW! STOPPIT! YE'RE SOAKIN' US!

THANK GUIDNESS IT'S TIME TAE GO OOT! COME ON, LADS!
AYE, THIS HOOSE IS TOO DAMP TAE BE HEALTHY!
I WONDER WHAUR THEY'RE GOIN'?

HERE THEY ARE!
JINGS, WHIT A GREAT DAY!
AYE, 4-1 UP ALREADY!
COME ON, ROVERS!
READ THE Sunday Post

See the sunshine, feel the heat —

Paw's holiday brochures work a treat!

BRR! THIS HOOSE IS FREEZIN'!
WHIT WE NEED IS A HOLIDAY IN THE SUN!
CAN WE GO AND SEE ABOUT IT, PAW?
EH? OH — ER — WELL . . .
AND SO —
WE'RE THINKIN' ABOOT GOIN' TAE SOMEWHERE WARM.
HMM, YES . . .
THESE ARE OUR BROCHURES FOR TROPICAL ISLAND HOLIDAYS. PRICES ARE FROM AROUND £500 PER PERSON . . .
OH, AYE!
£500? SHEESH!
AND THESE ARE OUR ADVENTURE HOLIDAYS IN SOUTH AMERICA.
ADVENTURE . . .?
I CAN HARDLY TRAIL UP OOR STAIRS AT HAME!
I'LL TELL YE WHAT — WE'LL TAK' A' THE BROCHURES AND THINK ABOOT IT!
SPLENDID!
JINGS, PA REALLY MUST BE PLANNIN' A HOLIDAY!
AYE!
BACK HOME —
WELL, MAW, THAT'S DONE THE TRICK — NAEBODY'S FEELIN' THE CAULD —
— NOW THAT WE'VE GOT A' THAE BROCHURES TAE STOKE UP THE FIRE!
PAW BROON — YE'RE AN AFFY MAN!
AULD SKINFLINT, YE MEAN!

This shower's jist the thing —

If ye're wantin' tae sing!

WHIT DAE YE THINK O' OOR NEW SHOWER, GRANPAW?
OOPS! SORRY, HEN — JIST TESTIN' FOR LEAKS!
HMPH!
DAFT IDEA! THERE'S NOTHIN' BEATS A BATH!
OH AYE? WE KEN YOU! YOU'LL BE BACK TAE TRY IT OOT BEFORE LONG

WELL, BROON, HAVE YE BEEN PRACTISIN'?
A WEE BIT! BUT I COULDNAE GET THE RIGHT FEELIN' ABOOT IT!

MAYBE I COULD NOW THOUGH!

YE KEN YON SHOWER THING? MIND IF I USE IT?
HO! HO! WHAT DID WE TELL YE?
AWA' YE GO AND FIND OOT HOW GOOD IT IS!

HE'LL NO' KEN HOW TAE WORK IT!
WE'LL KEEP HIM RICHT!

HEY, GRANPAW! ARE YE OK?
I CAN HEAR HIM SINGIN'!

EH?
HE'S DAEIN' GRAND! COME IN AN' LISTEN!

I'M SINGIN' IN THE RAIN, JUST SINGIN' IN THE RAIN . . .
HE'S REHEARSIN' HIS TURN FOR THE AULD FOLKS PARTY!

Oh, the blushes when they find —

Berries o' another kind!

WILL WE SEE YE AT THE BUT 'N' BEN THIS SATURDAY, GRANPAW?
NAW, I'M GOIN' TAE THE BERRIES OWER AT GANNOCHY GLEN FOR THE DAY.

THE BERRIES, EH? IT'S A BIT EARLY FOR BRAMBLES, BUT I'LL BET THAT AULD CODGER KENS A SHELTERED PLACE WHAUR THEY RIPEN EARLY.
AYE!

SATURDAY, AT THE BUT 'N' BEN —
COME ON, GET OOT YER AULD CLAES. GANNOCHY GLEN'S JUST OWER THE HILL. WE'LL WALK OWER AND DAE SOME BERRY-PICKIN' WI' GRANPAW.
GUID IDEA!
FINE!

I HAVENA HAD THIS AULD DRESS ON SINCE LAST YEAR'S BERRY-PICKIN'!
YE NEED AULD CLAES FOR PICKIN' BRAMBLES . . .

I JUST HOPE NAEBODY SEES US IN THESE AULD CLAES!
WHIT ARE YE WORRYIN' ABOOT? THERE'S NAEBODY BUT GRANPAW TAE SEE YE!

WELL, HERE WE ARE, BUT THERE'S NAE SIGN O' GRANPAW.
I'LL GIE HIM A SHOUT. HE'LL BE HERE SOMEWHERE.

COOEE! GRANPAW! IT'S US . . . THE FAMILY.

HELLO, YOU LOT! WHIT A SURPRISE. I'M JUST ROOND HERE WI' TAM BERRIE AND HIS MISSUS. COME AWA' ROOND AND SEE THEIR TENT. WE'RE JUST ABOOT TAE HAE TEA.
TAM BERRIE?! GULP!

TAM WROTE TAE ME THAT HE AND JESSIE WERE COMING TAE CAMP IN THE GLEN FOR THEIR HOLIDAYS, AND INVITED ME UP FOR THE DAY . . .
YES, SINCE TOM RETIRED WE GO CAMPING . . . IT'S AMAZING THE — ER — SIGHTS WE'VE SEEN . . .
DAGGERS!

Ye'll chuckle at the explanation —

O' the family's consternation!

AW, JINGS! SEE WHAT'S ON TONIGHT!

QUICK, A'BODY! STAMP EMERGENCY!
AW, CRIVVENS!

HOW LONG HAVE WE GOT, PAW?
TILL HALF-PAST SIX!

DINNA FORGET THE DISPLAY CABINET, MAW!
AS IF I WOULD!

EEK!
ME HELPIN' HORACE!

SAVE THE TELLY, HEN!

AT LAST—
PHEW! FEENISHED JIST IN TIME!

STAMP! STAMP! STAMP!
AYE! THE AULD LAD UPSTAIRS GETS FAIR CARRIED AWA' WHEN THERE'S SCOTTISH DANCE MUSIC ON THE RADIO!

Stuck up a tree? —

This you must see!

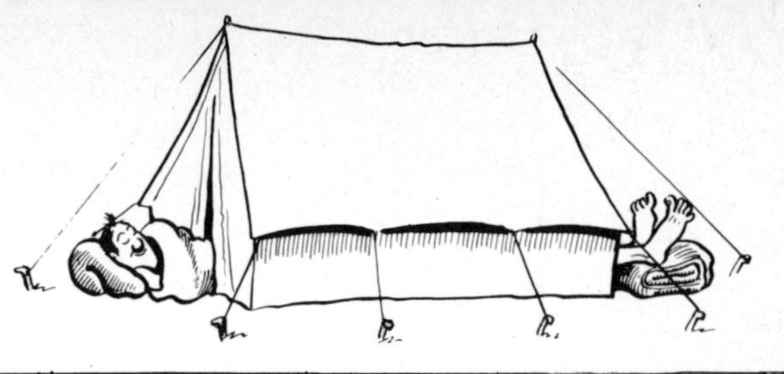

WE'VE JIST COME FRAE GRANPAW'S.
OH, AYE . . .

HE SAYS TAE TELL YE HE'S STUCK UP A TREE!
OH, NO!
WHAT?
JINGS!
CRIVVENS!

THE DAFT GOWK!
HE'S PAST CLIMBIN' TREES!

I JIST HOPE THIS LADDER IS LONG ENOUGH TAE REACH HIM!
IF IT'S NO', WE'LL NEED THE FIRE BRIGADE!

OH, THE SHAME O' IT!

WE'RE NEARLY AT HIS HOOSE, AND I DINNA SEE ANY SIGN O' HIM UP A TREE!

OH, HELLO, YOU LOT! THERE WIS NAE NEED FOR YE TAE COME ROOND.
GASP!
EH?

I JIST WANTED YE TAE KEN I'VE STUCK UP A TREE IN FRONT O' MY WINDAE TAE STOP THAT NOSEY MRS McNAB FRAE STARIN' IN EVERY TIME SHE GOES PAST!
GASP!
WEEL!
AW!

There's a hunt for a moose —

In the Broon family's hoose!

YE'LL NEVER GUESS! MRS Mc TAVISH DOONSTAIRS THINKS SHE'S GOT MICE!
THERE'S NAE NEED TAE GET WORKED UP ABOOT IT! WE'VE NEVER HAD MICE IN THIS HOOSE!

YE'RE WRANG! I SAW A MOOSE IN THAT CORNER!
WHAT?
A MOOSE?
EEK!

DAE SOMETHIN', YOU LOT!
GET IT OUT OF HERE!
AYE. CATCH IT! QUICK!
CALM DOON!
AYE, DINNA PANIC!

SSH! GO QUIET!
WATCH FOR IT DARTIN' OOT!

TCH! IT'S NO' HERE!

IT'LL BE HIDIN' AHENT THE BOOKCASE!
RIGHT! ME AN' JOE'LL SHIFT THE BOOKCASE . . . YOU GET THE MOOSE!

READY, STEADY . . . NOW!

THERE'S NAE MOOSE HERE! ARE YE SURE YE SAW ANE?
OH, AYE! CERTAIN!
WHEN?

OH, ER, LET ME THINK. 1946 I THINK IT WAS!
YE AULD TWISTER! YE DID THAT ON PURPOSE!
HO-HO!

Hey-diddle-diddle —

Guess who's on the fiddle!

OOH, HORACE! I'D LOVE TAE SEE THAT FILM!
A'RIGHT, MAISIE! I'LL TAK' YE IN!
GIVE UP THE WIND

ER, WELL . . .

TELL YOU WHAT — LET'S GO TAE A VIOLIN RECITAL INSTEAD!
EH?

THAT'S NO' THE SAME AS GOIN' TAE THE PICTURES!
TRUST ME!

I'M ENTERTAINING MAISIE!
SCULLERY & STAIRHEID MONTHLY

SCREECH!
WAIL!
IS THAT NO' AFFY!
SHEESH!
SCULLERY & STAIRHEID MONTHLY

COME ON, PAW — YOU AS WELL!
WE'LL A' CHIP IN!

TELL YOU WHAT, HORACE, HOW ABOOT TAKIN' MAISIE TAE THE PICTURES INSTEAD?
SIGH!
EH? OH, WELL . . .
PHEW!

FUNNY THING, MAISIE, MY FAMILY CANNA STAND MY FIDDLE PLAYIN' — AND NEITHER CAN I!
BALCONY

KEEP FIT CLASS

They're dressed in their best —

But their hopes soon go west!

AFF TAE THE SNOOKER, LADS?
AYE, WE'VE GOT A BIG MATCH FIXED UP!
WE'RE JUST WAITING FOR ANDY BRUCE!
ANDY BRUCE? HMM! DO I KNOW HIM?
YOU REMEMBER, PAW! ANDY'S THE 'ONE HUNDRED METERS CHAMPION'!
OH, AYE! THE 'HUNDRED METER RECORD' HOLDER! I REMEMBER HIM!
EH? HUNDRED METRE RECORD HOLDER?
HE MUST BE QUITE AN ATHLETE!
OH, BOY!
SUDDENLY—
MUST WASH MY HAIR!
OUT OF MY WAY— I HAVE TO CHANGE!
SHORTLY—
DRING! DRING!
GOOD! THAT'LL BE ANDY!
THEN—
THIS IS ANDY!
HELLO!
ER...
EH? BUT...
ANDY WORKS FOR THE GAS BOARD! HE ONCE READ ALL ONE HUNDRED GAS METERS IN ROSEFIELD STREET IN RECORD TIME.
OH NO!
TRICKED!
YES! HE'S THE 'ONE HUNDRED METERS' CHAMPION! HEE-HEE!
AYE, NAEBODY ELSE'S GONE ROOND THE DISTRICT IN THAT TIME!

A chance tae see a demonstration —

O' Paw Broon's grand impersonation!

NOW MIND AN' BEHAVE YERSELS AT THE McSWANKIE'S HOOSE! IT'S AFFY POSH, HERE IN CARSNOOTIE!
EL MUCHO
IT'S JUST AS WEEL WE LEFT GRANPAW WI' THE BAIRN!

AH, MR AND MRS BROWN! DO COME THROUGH TO THE BACK GARDEN. WE'RE HAVIN' A BARBECUE!
YES, COME AWAY IN!
OH, MY!
YAP! YAP!

REALLY, FATHER!
HMPH! GIE THE AULD FOOL A SASSIDGE AN' HE JIST HAS TAE DAE HIS GROUCHO MARX IMPRESSION!
NO' BAD, PAW!
MUNCH!
YE'VE LOST YER HOT-DOG!
SLURP!

LATER...
WHIT A WASTE O' A SATURDAY EFTEROON! I'D RATHER BE AT THE FITBA' MATCH ANY DAY!
AWA', PAW! IT WIS BRAW! I WISH WE HAD A BARBECUE!
AYE, IT WID LOOK BRAW IN OOR BACK GREEN, AN' I DON'T THINK!

NEXT DAY...
I WIS TELLIN' A THE LASSIES AT THE WORK ABOOT THAT BARBECUE!
YES — SIGH! MEBBE WE CAN STILL PERSUADE PAW TO DO SOMETHING ABOUT IT! IT REALLY WOULD BE SOMETHING SPECIAL TO HAVE ONE IN GLEBE STREET!

ME'S JIST SEEN ANE ON THE PAVEMENT OOTSIDE!
WHISSAT? OH, MY!

PAW MUST HAVE CHANGED HIS MIND AFTER ALL!
AYE, AND HE'S HAD IT DELIVERED! COME ON, WE'LL BRING IT IN!

THERE'S THE BARBER'S QUEUE. HE'S AYE BUSY ON MONDAYS — THAT'S WHEN HE GIES THE AULD-AGE PENSIONERS A HAIRCUT FOR HALF PRICE!
OH, NO!
GENTS

In comes Gerald, and then, next minute —

See wha pits his big feet in it!

MAW! PAW! DAPHNE'S GOT A NEW LAD!
AND HE'S GOT A FACE LIKE THE BACK O' A BUS!
AYE, HE'S NO' HALF UGLY!

HE IS NO'! HE WIS JIST PULLIN' FUNNY FACES TAE MAK' US LAUGH!
AYE, BUT HE'S UGLY AS WELL!
TCH!
NOW, NOW!

YE CAN SEE FOR YERSEL'S! DAPHNE'S BRINGIN' HIM UP!
IN THAT CASE, BE POLITE TAE THE LAD!

AYE, I DINNA WANT TAE HEAR ONE WORD FRAE EITHER O' YE ABOOT HIM BEIN' UGLY!

IN FACT, AWA' YE GO, INTAE THE KITCHEN, JIST IN CASE YE PIT YER FEET IN IT!
AW!
SPOILSPORT!
ME MAK' SURE THEY DINNA SAY ANYTHIN'!

SOON —
HELLO, MAW, PAW! THIS IS GERALD . . .
OH, ER, HELLO, GERALD!

IT'S A' RICHT, SON. YE CAN STOP MAKIN' FUNNY FACES. THE YOUNGSTERS AREN'T HERE!
WHAT FUNNY FACES?
PAW!

SHAME!
I'VE BEEN SENT THROUGH HERE BESIDE YOU LOT!
MEN! HMPH!

The Broons get a shock —

From a speaking clock!

FURNITURE SALEROOM
LOOK! THERE'S MY GRANPAW!
SO IT IS!

HELLO, BAIRN!
LOOK OUT, YE DAFT GOWK!

OH, HELLO, YOU LOT! HOW ARE YE?
SCARED STIFF WI' YOU SWINGIN' THAT DAFT CLOCK ABOOT!

NO' BAD, EH? I GOT IT CHEAP BECAUSE IT DOESNA GO, BUT I'LL SOON MEND IT!
YOU? MEND IT? NAE CHANCE!

YE DINNA KEN THE FIRST THING ABOOT CLOCKS!
IN THE HUFF!
YOU'LL SEE!

JINGS, THE FAMILY WERE RICHT! THIS IS MAIR DIFFICULT THAN I THOUGHT!

LATER —
I THOUGHT AS MUCH! HERE THEY COME TAE GLOAT!

COME AWA' IN! YE'RE JIST IN TIME TAE HEAR MY CLOCK!
EH?
JINGS!

IT REALLY WORKS!
BRAW CHIME!
DONG! DONG! DONG!
IT SOUNDS JIST LIKE BIG BEN!
OOH!
WEEL DONE, GRANPAW!

THEN —
THIS IS THE BBC, RADIO FOUR . . .
CRIVVENS!

THE CRAFTY AULD DEIL!
NAE WONDER IT SOUNDED JIST LIKE BIG BEN!
ACH, I DIDNA GET IT TURNED AFF IN TIME!
TCH! TCH!

Picture, picture, on the wall —

Who are the funniest folk of all?

WHAUR ARE WE GOIN' TAE HANG THIS, THEN?
THERE! WHIT ABOOT UP THERE?
NA, NA. IT SHOULD BE UP THERE!
BLETHERS! THAT'S WHAUR IT SHOULD BE!
ON THAT WALL!
NEVER! THAT'S A SILLY PLACE TO PUT IT!
I'M TELLIN' YE, IT SHOULD BE ON THE WINDIE WA'!
AWA'! THAT'S A DAFT PLACE TAE PIT IT. IT SHOULD BE ABOVE THE FIREPLACE!
WHIT'S WRANG WI' PITTIN' IT UP THERE? BESIDES, I'M TIRED O' THAT AULD PHOTIE O' GRANPAW!
OOH! THAT'S NO' FAIR ON MY GRANPAW!
THERE!
THERE!
NEVER!
THERE!
HMPH! I'LL MAK' UP MY AIN MIND . . .
NARK!
GRUMBLE!
SNARL!
SOON HAE IT UP!

AHEM!
BLUSH!
SIGH!
OH, ER, AYE!
THERE! PERFECT!
HOME SWEET HOME

The sun shines bright, the weather's dandy —

But, jings, Maw's brolly comes in handy!

IT'S A RARE SPRING DAY! LET'S TAK' A WALK ROOND THE NEW HOOSES!
GUID IDEA!

BUT —
HAUD ON, MAW. YE'LL NEED YER UMBRELLA!
WHAT? I'M NO EVEN WEARIN' A JAICKET!
AYE, IT'S A BRAW DAY!

SEE! NO' A CLOUD IN THE SKY!
YE'LL STILL NEED IT!

TSK! A'BODY THINKS I'M DAFT! AND IT'S A' YOUR FAULT, PA!

JIST YOU WAIT! YE'LL BE GLAD O' THAT BROLLY!
I DINNA KEN WHY I LISTEN TAE YOU.
CHORTLE.

EH?
OH-OH!
THERE YE ARE!

WHIT DID I TELL YE?

A'BODY IN THE NEW HOOSES WASHES THEIR CARS ON SUNDAY!
HMPH!

And when Maw got there —

The cupboard was bare . . .

PAW WILL SOON BE IN. I THINK I'LL GIE HIM HIS FAVOURITE TEA — SASSIDGES!
TIP-TOE!

YE'LL NO' DAE THAT, MAW — THERE'S NO' A SASSIDGE IN THE FRIDGE!

THAT'S FUNNY! OCH, WELL, I'LL JIST MAK' HIM MINCE!
HO-HUM!

AHEM!
THERE'S NAE MINCE IN THE FRIDGE, EITHER, MAW!

THAT'S AFFY STRANGE! I WIS SURE I HAD MINCE! IT'LL NEED TAE BE FISH, THEN!
MAIR TIPPY-TAES!

THERE'S NAE FISH EITHER!
WHAT?
BUT THERE'S SOMETHIN' FISHY HERE!

YE MUST A' BE BLIND! THERE'S PLENTY O' . . .

CRIVVENS! YOU'RE RIGHT! THERE'S NOTHIN' IN THE FRIDGE!
SLAM!
AND HERE'S PAW HAME FROM WORK!

OH, ER, HELLO, PAW. THERE'S NAE TEA READY FOR YOU. THERE'S — THERE'S NOTHIN' IN THE HOOSE!
OH, REALLY! THEN IN THAT CASE, I'VE JIST GOT ONE THING TAE SAY TAE YE . . .

. . . GET YER COAT ON! I'VE GOT A TABLE BOOKED AT LUIGI'S. YE DIDNA THINK I'D FORGOTTEN IT WIS OOR ANNIVERSARY, DID YE?
GASP!
Luigi's RESERVATION
HO-HO! WE'RE A' IN ON IT, MAW! THAT'S HOW WE HAD TAE MAK' SURE YE DIDNA COOK ONYTHIN'!

Luigi's Restaurant
YE'RE AN AFFY MAN, PAW BROON!
HAVE YOU SEEN THIS MAN

Oh, despair, oh, dismay —

When Maw gives the game away!

PASS THE SUGAR, PAW!
PAYING NO ATTENTION!

CAN I HAE THE CAKES, HEN?
LIKEWISE!

WHAT'S THAT IN YOUR EARS? COTTON WOOL?! WHAT'S GOING ON?
EH? OH, ER, NOTHIN'!

LATER—
WONDER WHIT'S ON THE RADIO?
EH?

NOT NOW!
ONLY TEN MINUTES TAE GO!
QUICK! TURN IT AFF!

TEN MINUTES LATER—
GREAT! DONE IT!
WE MANAGED TAE AVOID HEARIN' THE SCORE O' THE ROVER'S GEMME!
NOW WE CAN WATCH IT WITHOOT KNOWIN' WHA WON!
SPORT SEEN
ROVERS V UNITED
SPORT! SPORT! NOTHIN' BUT SPORT!

SMASHIN'!
AYE, WELL WORTH A' THE BOTHER!

WELL, YOU LOT ARE LOOKIN' AFFY PLEASED — CONSIDERING THE ROVERS LOST 3-0 TAE UNITED THIS AFTERNOON!
OH, NO!
GASP! THE SCORE!
A' THAT PALAVER FOR NOTHIN'!
HO-HO!
HA-HA!

A message from the men in blue —

It seems there's trouble wi' you-know-who!

WHO'S THAT THE BAIRN'S TALKING TO?
THE WEE LASSIE FRAE THE NEXT CLOSE.

THAT WAS MAISIE WI' A MESSAGE FROM THE POLIS. GRANPAW'S BEHIND BARS.
WHAT?
WHAT'S HE DONE? WHAT HAPPENED?

I DINNA KEN, BUT MAISIE SAID HE'S NO' GETTIN' FREE!

OH, THE SHAME O' IT! I'LL HAE TO LEAVE THE SEWING BEE!
POLICE STATION

I DINNA BELIEVE GRANPAW'S IN TROUBLE WI' THE POLICE!
NOR ME!

WHAT EXACTLY WAS THE MESSAGE YE GOT, MY WEE LAMB!
JUST THAT GRANPAW WIDNAE BE GOIN' ANYWHERE FOR A WHILE . . .

SOUNDS CLEAR ENOUGH TAE ME! HE'S IN CUSTODY A'RICHT!

HE TRIED TO STRETCH THROUGH TO GET THE BA' EFTER HE'D KICKED IT OWER THE FENCE — AND HE GOT HIS HEID JAMMED!
POLICE STATION
I MIGHT HAVE KENT — DAFT AULD GOWK!
GRANPAW!

Ye'll laugh at Maw Broon's funny caper —

When Paw unwraps that parcel paper!

OH, GOOD! HERE COMES PAW AT LAST!
HELLO, A'BODY!

COME AWA' IN AND SIT DOON IN YER FAVOURITE CHAIR!
EH? WHY? WELL . . . A'RIGHT! FINE!

AN' PIT YER FEET UP, AS WELL!
OH, ER, RIGHT!

FIRST, I JIST WANT TAE SAY CONGRATULATIONS!
WELL, ER . . .

NOW DINNA YOU MOVE! I'VE GOT A WEE SURPRISE FOR YE!

HERE WE ARE!
EH? A PRESENT? BUT IT'S NO' MY BIRTHDAY, IS IT?

NO! BUT IT'S A KIND O' ANNIVERSARY!
ANNIVERSARY? YE MEAN OOR WEDDIN' ANNIVERSARY . . .?
WORRIED!

NO! IT'S THE FIRST ANNIVERSARY O' YOU PROMISIN' TAE FIX THAT SHELF PROPERLY!
AW!
HO-HO!
CHORTLE!

A wee hitch —

On the fitba pitch!

WID YE TAK' A GANDER AT THAT USELESS LOT! YE'D NEVER THINK THEY HAD A FAITHER WHO WIS A STAR PLAYER IN HIS DAY.
OH, AYE! HERE WE GO!

WHIT A MISS! THEY JIST HAVENAE GOT THE STYLE!
NO! NO' LIKE YOU DID, I'M SURE!

IN FACT, I'LL GO OOT AN' SHOW THEM HOW IT'S DONE!
PAW! FOR GUIDNESS SAKE, BE YER AGE!

COME ON! PASS ME THE BA' AND I'LL SHOW YE HOW TAE SHOOT!

BUT THEN —
AW, CRIVVENS!
HO-HO!
WHIT A LAUGH!

WHIT'S UP, PAW? DID YE NO' PLAY WELL?
I HIT THE POST!

WELL, THAT'S NO' BAD! IF YE HIT THE POST, THAT WIS NEARLY A GOAL!
NA, NA. IT WISNAE THE GOAL POST.

IT WIS THAT POST I HIT!
YE'RE A'RIGHT, POSTIE. TAK' IT EASY!
REMIND ME NO' TAE TAK' A SHORT-CUT THROUGH THE PARK WHEN HE'S PLAYIN' FITBA!

Door shut tight and curtains drawn —

Ye'll never guess whit's goin' on!

IT'S TIME WE PAID GRANPAW A VISIT!
AYE, WE HAVENA BEEN ROOND TAE SEE HIM FOR A WEEK!

THAT'S FUNNY — THE FRONT ROOM CURTAINS ARE DRAWN!
OOH!

GRANPAW! GRANPAW!
I CANNA SEE THROUGH THE CURTAINS!

WHAT IF HE'S NO' WEEL?
OPEN UP!
PUIR GRANPAW!

JUST THEN —
HAUD ON! THERE'S MY PAL, JOCK BLACK! HE'S A FIREMAN. MAYBE HE CAN OPEN THE DOOR!
FIRE

AND SO —
WE'LL SOON HAVE THIS OPEN, HEN!
OH, HURRY!

I HOPE HE'S NO' TOO BAD!
GRANPAW! GRANPAW!

SO THAT'S WHY HIS CURTAINS WERE DRAWN!
HO-HO!
GASP!
CRIVVENS! SO IT WAS YOU LOT MAKIN' A' THAT RACKET OOTSIDE! I MIGHT HAVE KNOWN! CAN A LAD NO' HAE A BATH BY THE FIRESIDE WITHOOT SOMEBODY CALLIN' OOT THE FIRE BRIGADE!

The family can't believe their eyes —

Paw's raffle win's a big sur-prize!

PAW BROON WON THE WORKS RAFFLE!
DID YE HEAR THAT, HEN?
AYE!

WHIT WIS THE PRIZE LIKE?
GREAT! THE BIGGEST YET!
JINGS! IT MUST BE WORTH A SMA' FORTUNE!

SOON—
YE'LL NEVER GUESS — PAW'S WON A BIG PRIZE IN THE WORKS RAFFLE!
AYE, MUST BE WORTH A FORTUNE!
OOH!
OH, MY!

HE'LL MEBBE HELP ME BUY THAT NEW DRESS I FANCIED!
MAH BOXIN' GLOVES ARE PAST IT!
THERE'S AN AFFY BONNY HAT IN GOW'S SHOP!
I COULD DAE WI' A NEW PAIR O' GOWF SHOES!

ER — IT'S TIME I FEENISHED THAT SCARF I WIS KNITTIN' FOR PAW!
IT'S AGES SINCE I MADE PAW TOFFEE!
WHAUR'S THAT FOOTSTOOL WE WERE MAKIN' FOR HIM?
CRAWLERS!

LATER—
THAT'S IT FINISHED!
TREACLE TOFFEE . . . HIS FAVOURITE!
NO' BAD, EH!
LISTEN! ME HEAR PAW COMIN'!

FOR THE BEST PAW IN THE WORLD!
AND THIS!
THIS AS WELL!
MICHTY!

THIS HASNAE HALF BEEN MY LUCKY DAY! AH COME HAME TAE A' THAE BRAW GIFTS, AND EARLIER ON, I—

—WON THIS GIANT TEDDY BEAR FOR THE BAIRN!
GNN!
HO-HO! IT CERTAINLY WIS A BIG PRIZE!
OOH! ME LIKE IT!
AW!
GASP!

It's shock after shock —

When they're oot for a walk!

MAN, THAT FRESH AIR'S BRAW! THERE'S NOTHIN' LIKE A WALK ON A CRISP WINTER'S DAY!

BUS STOP
PRIZE BINGO
HANG ON! I'LL HAE TAE TIE MY SHOE LACE.

STOP
COME ON, THEN! ARE YE GETTIN' ON THE BUS OR ARE YE NO'?
WE'RE NO'! WE'RE OOT FOR A WALK!

AYE-AYE! HERE'S TAM SMITH IN HIS CAR!

HI, FOLKS! IT'LL BE A SQUEEZE, BUT HOP IN AND I'LL GIE YE A LIFT!
EH? OH, ER, NO THANKS, TAM. WE'RE OOT A WALK!
HMPH!

RIGHT, MAW. WE'LL CROSS THE ROAD HERE.
LET THIS VAN PASS FIRST.

HELLO, MRS BROON! MISSED YER BUS, HAVE YE? YE CAN A' GET IN THE BACK!
P. McSHIN BUTCHER
"OUR CHOPS ARE TOPS"
TCH! WHIT'S WRANG WI' A'BODY? CAN FOWK NO' GO FOR A WALK THESE DAYS?

IT'S COME TAE A PRETTY PASS WHEN YE CANNA GET PEACE TAE HAE A WEE STROLL!
SORRY, I'M SURE!
P. McSHIN BUTCHER
"OUR CHOPS ARE TOPS"
WELL, WE'D BETTER STROLL ON. IT'S GETTIN' AFFY GREY LOOKIN'!

SOON . . .
BUS STOP
TYPICAL! YE CAN NEVER GET A LIFT WHEN YE NEED IT!
A BRAW DAY FOR A STROLL, EH? HMPH!

This beat-the-burglar plan's a hoot —

But it disnae keep the Bairn oot!

HELLO, GRANPAW! WE WERE JUST GOIN' ROOND TAE YER HOOSE WI' YER CLEAN WASHIN'!
THERE'S MY GRANPAW!

TANDOORI
THAT'S FINE. I'M AWA' TAE THE SHOPS. YE'LL FIND MY KEY IN THE USUAL PLACE.
TCH! STILL LEAVIN' HIS KEY UNDER THE MAT, EH? IT'S NO' SAFE TAE DAE THAT! ANYBODY COULD FIND IT!

AND SO—
HMM! THAT DISNAE LOOK LIKE HIS FRONT DOOR KEY!

NO, IT DISNAE FIT!
COO-HOO! I FORGOT TAE TELL YE — THAT'S MY SHED KEY!

THIS IS MY PLAN TAE FOOL BURGLARS!
AHA! SO YE LOCK YER HOOSE KEY IN THE SHED!

IT'S NO' AS SIMPLE AS THAT! THERE'S NAE FLIES ON YER AULD FAITHER!

THIS IS THE KEY FOR MY COAL BUNKER . . .

. . . AND INSIDE THAT IS THE KEY FOR THE BIN RECESS. THE HOOSE KEY IS INSIDE THAT!

BUT—
I DINNA BELIEVE IT — THE KEY'S NO' HERE!

THAT'S 'COS YE FORGOT TAE LOCK THE DOOR! THE KEY'S STILL INSIDE THE LOCK!
HO-HO! SOME PLAN, THAT!
GASP!

A look back tae the olden days —

Wi' "young" Hen Broon in his schoolboy claes!

LOW
BRIDGE
7' 6"

JINGS, IF IT'S NO' ALBERT PETRIE. I HAVENA SEEN HIM SINCE WE WERE AT SCHOOL TOGETHER!

HELLO, ALBERT! IT'S ME — HEN BROON. WE WERE PALS AT SCHOOL! REMEMBER?
EH? OH, ER . . . NO!

HEN BROON, DID YE SAY? HMM . . .

AYE, THAT'S RIGHT. HEN BROON. WE AYE WENT IN FOR THE THREE-LEGGED RACE TOGETHER AT THE SCHOOL SPORTS. YOU MUST REMEMBER!

HEN BROON . . . N-NO. THE NAME DOESN'T STRIKE A CHORD!
SURELY YE MUST REMEMBER HOW YE USED TAE PUSH ME ABOOT IN YER CAIRTIE . . .

FASTER, BERTIE, FASTER!

ANYWAY, WHIT BRINGS YE BACK HERE? YER FAMILY MOVED AWA' YEARS AGO.
OH, I'M JUST HERE FOR THE WEEK. I'M ON THE STAGE, YOU SEE . . .

I'M AT THE PALACE ALL WEEK, DOING MY MEMORY ACT.
EH? MEMORY ACT? GASP!
THE GREAT ALBERTO
THE WONDER MEMORY MAN
THE GREAT ALBERTO
HO-HO!
CHUCKLE!

This you must see —

A duet for THREE!

AH, PLAYIN' THE AULD JOANNA, EH, HORACE?
HMPH!
MURDERIN' IT, YE MEAN!

LET'S PLAY A DUET FOR SIX HANDS!
TCH!
AYE, DAE YE KEN CHOPSTICKS?

IF YOU'RE GOING TO PLAY THE PIANO, PLAY A REAL TUNE. HOW ABOUT THE BLUE DANUBE?
NAW, LET'S HAE DANNY BOY!

WHIT A DIN! THEY'RE PLAYIN' BAITH TUNES AT ONCE!
STOP! LET ME OOT!

RIGHT! THAT'S BETTER. WE'RE BAITH PLAYIN' THE SAME TUNE NOW!
AYE, BUT IN DIFFERENT KEYS!

THIS IS THE RIGHT KEY!
AWA'! THIS IS THE RIGHT ANE!

STAND BACK! I'VE GOT THE RIGHT KEY—

HO-HO!
CHUCKLE!
AW!
— THE KEY THAT LOCKS THE PIANO UP!

The Bairn's cute, and no mistake —

She's got the perfect birthday cake!

GOLDIE'S GETTIN' BIG, MAW. HOW LANG HAVE WE HAD HIM?
OH, YE WON HIM AT THE SHOWS LAST FEBRUARY. HE MUST BE A YEAR AULD.

LATER —
LOOKIN' FOR SOMETHING, BAIRN?
YE'RE AFFY BUSY!

IT'S A' RICHT! ME'S FOUND THEM!

GUILTY LOOK!
COOKING CHOCOLATE
NOW THEN, THERE SHOULD BE SOMETHING IN HERE!
TEA

SHE'S JIST DEMOLISHED A PUND O' COOKIN' CHOCOLATE!
A BLACK PUDDIN'? NO! A LUMP O' CHEESE . . . NAH!
TEA

HERE WE ARE! FOUND THEM!

SOON —
HAPPY BIRTHDAY TAE YOU, HAPPY BIRTHDAY TAE YOU . . .
HERE, WHIT'S THAT YE'VE GOT THE WEE CANDLE ON, BAIRN?

WHIT DAE YE THINK? A FISH-CAKE, OF COURSE!
HO-HO!
WHIT A BAIRN!
CHUCKLE!

Puir auld Paw! Life's really tough —

He's got his feet up, right enough!

YE'LL HAE TAE MAK' YER AIN TEA, PAW. WE'RE STARTING OOR SPRING CLEANIN'!
EH? BUT I WANTED TAE GET MY FEET UP THE NICHT!

SOON—
YE CANNA SIT THERE.
I'LL MOVE THIS BACK.
EH?

OH, NO YE DON'T!
HELP M'BOAB! AM I NEVER TAE GET MY FEET UP?
ME'S TAE DUST THIS CHAIR, PAW.

GANGWAY!
SHEESH!

IF A MAN WORKS A' DAY, HE'S GOT A RIGHT TAE GET HIS FEET UP WHEN HE COMES HAME!
JIST IGNORE HIM.
AYE.

LOOK AT THIS DUST!
COUGH! SPLUTTER! WHIT'S DAPHNE UP TAE NOW?
MIND YER FEET, PAW.

JINGS, THIS BOX IS NO' HALF HEAVY!
HERE, LET A MAN DAE THE JOB FUR YE! THE QUICKER IT'S DONE, THE QUICKER I'LL GET MY FEET UP!

BUT—
THAT'S JOE'S AULD WEIGHT-LIFTIN' STUFF — AND THE BOTTOM'S COME OOT O' THE BOX!
OOYAH!

LATER—
CHEER UP, PAW. YE'VE GOT YER FEET UP AT LAST!
HMPH!
BLUSH!

See Granpaw when his tea's too hot —

He's changed a bit (but not a lot!)

LENA'S LAUNDRETTE

OH, WELL, I SUPPOSE A' THAE YEARS O' NAGGIN' HAVE GOT SOMEWHERE WI' GRANPAW!
AYE, YE CANNA SAY HE DISNA MOVE WI' THE TIMES!

YE MIND WHEN WE WERE FIRST MARRIED . . . WE HAD TAE STOP HIM DRINKIN' HIS TEA OOT O' THE SAUCER WHEN IT WIS TOO HOT!

THEN WE HAD TAE NAG HIM FOR AGES AFORE HE STOPPED FANNIN' IT WI' HIS BUNNET!
YOUNG HEN WI' A CHIP PIECE

EFTER THAT CAME THE NEWSPAPER STAGE, BUT WE GOT HIM AFF THAT AS WELL.
WEE DAPHNE

MIND YOU, WE HAD TAE PIT UP WI' HIM BLAWIN' ON HIS TEA FOR YEARS . . .
WEE JOE WEARING DAVY CROCKETT HAT

BUT TIMES HAVE CHANGED.
AYE, THE AULD DAYS ARE GONE FOREVER . . .

THAT'S PROGRESS FOR YE!
BRR! IF YE'VE GOT TAE USE MAGGIE'S DRIER, AT LEAST SWITCH THE HEAT ON!

Give in? Pack up? Not at a' —

Hark tae the words o' "chairman" Paw!

TROUBLES, HORACE?
SIGH.
AYE, I'M STUCK WI' THIS SUM!

STUCK, EH? HMPH! I WIS NEVER STUCK WHEN I WIS AT SCHOOL. MIND YOU, I WIS AYE THE BRAINY ANE O' THE FAMILY!
SNIFF!
LISTEN TAE HIM!

ONYBODY WANT TAE TRY FINISHIN' THIS CROSSWORD? I'M STUCK.
ANITHER ANE STUCK! HUH! YOU LOT GIE UP TOO EASILY!

HOW'S THE KNITTING GETTING ON, DAPHNE?
ACH, I'M STUCK! THE PATTERN'S TOO DIFFICULT!
PATTERN

THERE YE GO AGAIN! YE SHOULD NEVER BE STUCK. YE SHOULDNA GIE IN . . .
HUH! AULD BLOWBAG!

NEVER MIND THAT! DID YE REMEMBER TAE GET THE GLUE TAE FIX MY BROKEN VASE?
OF COURSE! THE LATEST QUICK-SET STUFF. IT'S IN MY HIP POCKET . . .

HIP POCKET? OH, NO!

HO-HO! WHA NEVER GETS STUCK, THEN?
BLUSH!
A' TOGETHER — HEAVE!
HA-HA!

Puir Paw! There's something far amiss —

News disnae come much worse than this!

TV DINNER

THIS IS TERRIBLE! HOW AM I GOIN' TAE TELL THE FAMILY?

LOOK! THERE'S PAW.
COOEE! PAW!
JINGS! IT'S THEM!

THAT'S FUNNY! HE'S AWA' UP THAT LANE. HE SURELY DIDNA HEAR US!

THERE HE IS! HE'S HIDIN' FRAE US!
HIDIN'? OH, ER, NO! I'M JUST TYIN' MY LACE!

AND YE HAD TAE DODGE IN HERE AND HIDE BEHIND A BOX TAE DAE IT, EH? THERE'S SOMETHIN' FISHY GOIN' ON!

A'RIGHT! I WAS TRYIN' TAE AVOID YE BECAUSE I'VE GOT SOME BAD NEWS I DIDNA WANT TO TELL YE!
EH?
AW..!
OH!

IS IT GRANPAW?
HAVE YE BEEN PAID AFF?
HAS THE BUT 'N' BEN BURNED DOON?
NO, NO. WORSE THAN ANY O' THEM . . .

JUST THEN —
HERE, BROON, YE WENT AFF SAE FAST YE FORGOT YER BOOLS!
BOOLS?
OH, WELL, YE'LL NEED TAE KNOW NOW!

I WIS KNOCKED OOT IN THE FIRST ROUND O' THE INDOOR TOURNAMENT.
HO-HO!
CHORTLE!
AYE, BY AULD AGGIE WILSON. THERE SHE IS NOW.
CHEERIO, BROON. BETTER LUCK NEXT TIME!
HA-HA!
Rocky XX

Flooers and flags, and snakes as well —

Nae wonder Maw lets oot a yell!

DAE YE HAE ANYTHIN' FOR THE DRY CLEANERS, MAW? THEY'RE DAEIN' A SPECIAL — TWA FOR THE PRICE O' ONE!
OH . . .

HMM, THIS JACKET O' PAW'S COULD DAE WI' A CLEAN.
BRMM, BRMM!

I'LL JIST EMPTY OOT THE POCKETS!

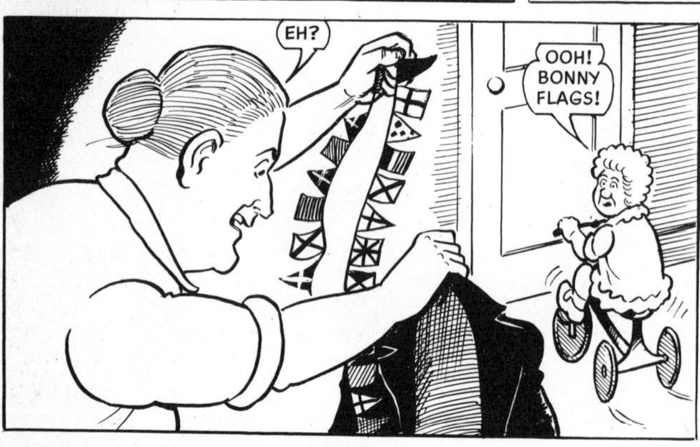

EH?
OOH! BONNY FLAGS!

AND A BUNCH OF FLOOERS?
OOF!

THEN —
EEK!
HO-HO!
HA-HA!
WHIT NEXT?

THEN —
HOI! STOP!

BLUSH.
WHIT DAE YE THINK YE'RE DAEIN'? IT TOOK ME AN HOUR TAE PIT A' THAE PROPS INTAE THAT JACKET! IT'S FOR THE MAGIC TURN I'M DAEIN' AT GRANPAW'S DOMINO CLUB THIS AFTERNOON!
OO, ER, SORRY, PAW!
HA-HA!

Maw Broon's ower fly — For Mrs Mackay!

DO COME ACROSS FOR A CUP OF TEA, MRS BROWN!
OH, ER, THANKS, MRS MACKAY!

HMPH! SHE MUST HAE SOMETHIN' TAE BOAST ABOOT. THAT'S THE ONLY TIME SHE EVER TALKS TAE MAW!

IT'S BEEN A REAL PLEASURE HAVING YOU IN.

FINISHED? FINE! I'LL JUST POP THESE IN MY NEW DISHWASHER!
SNATCH!

IT'S SUCH A BOON. I REALLY DON'T KNOW HOW YOU MANAGE WITHOUT ONE!

BUT I DINNA HAVE TAE MANAGE WITHOOT ONE!

I'VE HAD ONE FOR YEARS . . .
·BROWN·

PLATE SCRAPED!
PLATE HANDED ON!
PLATE WASHED!
PLATE DRIED!
PLATE STACKED!
PLATE PUT AWA'!
AYE, IT'S LIKE A WELL-OILED MACHINE!

Wha's goin' tae knock Tam Simpson doon? —

Whaever else but Granpaw Broon!

HELLO, GRANPAW. YE'RE IN AN AFFY HURRY.
AYE, WHAUR ARE YE AFF TAE?

I'M AWA' TAE KNOCK TAM SIMPSON DOON!
JINGS, DID YE HEAR THAT?

HERE, LISTEN TAE THIS — GRANPAW'S GOIN' TAE HAE A FECHT WI' TAM SIMPSON!
AYE, HE SAID IT HIMSEL'!
OH! OH, DEAR!

WE'VE GOT TAE STOP IT! THE SHAME O' IT — A MAN O' HIS AGE FIGHTIN'!
HE'S NO' FIT TAE BE LET OOT ON HIS AIN!

IF HE WINS THIS FIGHT, MEBBE HE'LL GO ON TAE WIN THE WORLD CHAMPIONSHIP!
AYE!

LOOK! THERE HE IS! WE'RE IN TIME!

THAT SET O' BOOLS YE'RE ADVERTISIN' — THEY'RE NO' WORTH TWELVE POUNDS! I'LL GIE YE TEN FOR THEM!
OH, WELL . . .

HELLO, YOU LOT! I'VE JIST BOUGHT TAM SIMPSON'S AULD BOOLS. I KNOCKED HIM DOON TWA POUNDS!
GASP!
WELL!

A great big dug, a squawkin' burd —

Their choice o' pet is quite absurd!

THEY WINNA SAY YES!
NO' UNLESS WE WORK UP TAE IT THE RIGHT WAY!
WHISPER-WHISPER!

LATER—
MAW! PAW! CAN WE — ER — HAE A PET?
WHIT SORT O' PET?

LIKE THIS BRAW DUG!
EH? NAE CHANCE!

HELP! GET IT AFF!
THE HOOSE IS FAR TOO SMA' FOR A PET LIKE THAT!

PRETTY POLLY!
WHIT ABOOT A PARROT THEN?

AWA'! THAT NOISE WID DRIVE US A' DAFT!
SQUAWK!
SCREECH!
WELL, WHIT KIND O' PET COULD WE HAE?
SOMETHING WEE — AND QUIET!

LIKE A HAMSTER, MEBBE?
AYE, SOMETHIN' LIKE THAT!

THANKS FOR LENDIN' US POLLY, DANNY . . .
. . . AYE, AND TOWSER, JEEMY!

AND HERE'S THE MONEY FOR YER HAMSTER, HAMISH. PAW SAYS WE CAN HAE IT!
HO-HO!

Help m'boab! Here's a real to-do —

The Bairn's painted HER bedroom, too!

I'M GLAD YE'VE GOT ROOND TAE PAINTING THE KITCHEN AT LAST!
AYE, WE'LL SOON GET IT DONE!
CAN ME HELP, PAW?
NO, I DINNA THINK THAT WID BE A GUID IDEA!
CAN ME HELP YOU TWA, THEN?
NO THANKS, WE'RE DAEIN' FINE!
A'BODY'S OWER BUSY, PET. AWA' YE GO AN' PLAY.
HUH!
MUCH LATER—
FINISHED AT LAST! IT'S LOOKIN' BRAW!
SO'S MY BEDROOM! ME'S JUST FINISHED PENTIN' IT!
YE HAVENAE?
OH, NO!
AYE, COME AN' SEE!
JINGS! WE SHOULD'VE PAID MAIR ATTENTION TAE HER!
THERE, ISN'T THAT BONNY?
PHEW! SHE'S PENTED A PICTURE O' HER BEDROOM!
WHEE!
IT'S PERFECT, MY PET!

See the menfolk! Jings, they're posh —

But when they get doonstairs — oh, gosh . . . !

PHONE BILL

JINGS, WHIT ARE THE FANCY TOGS FOR?
WE'RE GOIN' TAE A GARDEN PAIRTY NEXT WEEK.
THAT'S WHIT I'D CALL A "BLOOMING" LAUGH!

HMPH! LET'S GET CHANGED, DAPHNE.
WHAUR ARE YOU THREE AFF TAE, THEN?
THE BIG MATCH! TAM GOW'S GIVIN' US A LIFT IN HIS CAR.

JUST THEN —
A MANNIE GAVE ME THIS NOTE FOR YE, PAW.
THANKS, BAIRN.

T'S FROM TAM! HE SAYS HIS CAR'S BROKEN DOON, AND HE'S COMIN' TAE PICK US UP IN HIS ROLLS. . . JINGS!
DID YE HEAR THAT?
A ROLLS? CRIVVENS!

I CANNA GO LIKE THIS IN A SWANKY CAR . . .
NOR ME!
HMM . . .

OOT O' THE ROAD. I'VE GOT TAE SHAVE.
I'LL NEED A CLEAN SHIRT.
OOF!

COME ON, JOE! COME OOT O' THE BATHROOM!
HAS ONYBODY SEEN MY BLACK SHOES?
WHIT A PALAVER!

AT LAST —
TA-RA, THEN. WE'RE AFF TAE THE MATCH!
AYE, AND WE'RE DAEIN' IT IN STYLE!
PST! COME AN' SEE THIS!

LOOK! PAW DIDNA UNFOLD TAM'S NOTE — HE DIDNA SEE THE LAST WORD!
QUICK — LET'S GET TAE THE WINDIE!
WILL PICK YOU UP IN MY ROLLS VAN
TAM

HO-HO!
SERVES THEM RIGHT!
I DIDNA EXPECT TAE SEE YE A' TOFFED UP FOR A FITBA MATCH! I HOPE YE DINNA MIND SQUEEZIN' INTAE MY ROLLS VAN!
GOW'S ROLLS
HMPH!

It's the funniest thing ye'll ever see —

When a body builder comes tae tea!

TEA-TIME AT No 10.
WHA'S THE EXTRA PLACE FOR, MAW?
OH, ONE O' JOE'S PALS.

AYE, BRUCE WATSON, THE BODY BUILDER FRAE BANK STREET.
EH? WHISSAT

BODY-BUILDER!?
OOH!

BODY-BUILDERS NEED REAL FOOD. I'LL JUST RUSTLE UP SOME SCONES FOR BRUCE.
I'LL MAK' UP SOME O' MY EXTRA-SPECIAL CHEESE AN' PICKLE SANDWICHES!
CHEESE

MUST FIX MY HAIR.
I CANNA BE SEEN IN THAE AULD CLAE

AND SO—
THAT'LL BE HIM. I'LL GO!
NO, NO, I'M NEAREST THE DOOR. I'LL GO!
KNOCK! KNOCK!

EH?
BROWN
HELLO, JOE.
HELLO, BRUCE. COME AWA' IN!

BRUCE IS A BODY-BUILDING EXPERT AT PETRIE'S GARAGE IN BANK STREET.
AYE, HE'S A DAB HAND AT MENDIN' CARS AFTER THEY'VE BEEN IN AN ACCIDENT!
GLOOM!
DISAPPOINTMENT!
NO' MUCH FOR ME, MRS BROON. I'M NO' MUCH O' AN EATER!

They cure every squeak —

But there's still a CREAK! CREAK!

DIET YOURSELF

HELLO, A'BODY. I'VE JIST LOOKED IN TAE SEE THE FITBA ON TV.
TCH! JIST LISTEN TAE THAT CREAKY FLOORBOARD!
SQUEAK! SQUEAK!

YE'LL HAE TAE FIX THAT NOISY FLOORBOARD!
BUT WE WANT TAE WATCH THE FITBA.

NAE 'BUTS'. IF THERE'S ONE THING I CANNA STAND IT'S CREAKY FLOORBOARDS.
I'D LEND A HAND, LADS, BUT I'M OWER AULD FOR THAT KIND O' CAPER!

DINNA WORRY. I'LL GIE YE A RUNNIN' COMMENTARY ON THE MATCH!
HMPH!

WE'D BETTER GO OWER A' THE BOARDS.
AYE, WE'LL CHECK A' THE NAILS.
GOW'S ON THE BA' . . . HE'S GOIN' DOON THE WING . . .

GOAL!
HMPH! TRUST US TAE MISS A' THE EXCITEMENT WHILE WE WORK!

AT LAST—
WELL, THAT'S IT! FINISHED!
AYE, AND SO'S THE MATCH. I'M AWA' HAME TAE GET AFF THAE NEW BOOTS . . .

THEY'RE KILLIN' ME!
JINGS! IT WISNAE THE FLOOR-BOARDS THAT WERE SQUEAKIN' — IT WIS HIS NEW BOOTS!
AND WE MISSED THE MATCH!
HO-HO!
CREAK!
CREAK!

First it's stripey, then it's dotty —

This TV picture drives Paw potty!

HELLO! WHIT'S ON THE TELLY?
JINGS!
HMMM!
HUH!

TCH! INTERFERENCE, EH? I'LL FIX IT!

HEY! WHIT ARE YE DAEIN' WI' THE AERIAL?
SHUSH! LEAVE THIS TAE ME! I'M A DAB HAND WI' THIS AERIAL! ONY BETTER, NOW?

COME DOON OOT O' THERE!
WHEESHT, WUMMAN! LEAVE THIS TAE ME. TCH, DOTS NOW . . !

I'LL TRY DOON HERE. AH, THAT'S BETTER! I TELT YE I'D FIX IT!

AND THAT, VIEWERS, ENDS OUR PROGRAMME . . .

. . . ON MODERN ART! THANK YOU FOR JOINING US!
GRRRR!
HO-HO! THAT'S WHIT WE WERE TRYIN' TAE TELL YE — IT WISNAE INTERFERENCE — IT WIS MODERN PAINTINGS!

Stand by for stacks —

O' trouble wi' tacks!

TCH! I DINNAE LIKE THE WAY YON RUG'S CURLIN' UP!
OCH, AWA'! IT'S BEEN LIKE THAT FOR YEARS!

JUST THE SAME, I'LL TACK IT DOON!

HAVE IT FIXED IN A JIFFY!
BANG!
BANG!
BANG!

OOYAH! THAT WAS SAIR!
DONG!

THEN —
HEY!

WHIT'S A' THE DIN IN HERE?

OOOOOH . . !
JOE, WATCH OOT — !

WELL, AT LEAST THERE'S NAE CHANCE OF ONYBODY HURTING THEMSEL' ON IT!
NAEBODY HURTIN' THEMSEL' ! THAT'S A GUID ANE, YE AULD SCUNNER!
THAT MAN JIST CANNAE LEAVE THINGS ALONE!

The day Paw didnae want tae meet —

Anybody in the street!

CAN YE NO' WRAP IT UP?
SORRY, SIR, WE DINNA WRAP THINGS . . .

HANG ON! I'LL BE BACK!

CAN I HAE ANE O' YER CARRIER BAGS?
NO' UNLESS YE BUY SOMETHIN'!
MURDO'S MARKET

CHEEK! I'LL THINK O' SOMETHIN' ELSE!

A CARDBOARD BOX! THE VERY DAB!

ACH, YE WIDNAE GET MANY SCRAPS IN THAE BOXES, AULD LAD. TRY THE BINS OOTSIDE THE HOTEL.
EH? THE NERVE!
MANGLER MKV

A'RIGHT! I'LL JIST TAK' IT THE WAY IT IS!

HO-HO!
CHORTLE!
THE NEXT TIME MAW WANTS HER HANDBAG FETCHED FRAE THE LOST PROPERTY OFFICE, SHE CAN GET SOMEBODY ELSE TAE DAE IT!
LOOK, MAMMY. A MANNIE WI' A HANDBAG!

Mixed up claes —

Have Maw in a daze!

MAW, YE'VE PIT OOR CLAES IN THE WRONG DRAWERS AGAIN! HE'S WEARIN' MY JERSEY!
AYE, AND HE'S WEARIN' MINE!

TCH! WHIT DIFFERENCE DOES IT MAK'? THEY'RE BAITH THE SAME, ANYWAY!
HERE, MAW, YE REALLY GOT THE WASHIN' MIXED UP THIS WEEK—

I WOULDNA BE SEEN DEID WEARIN' THESE SOCKS . . . THEY'RE GRANPAW'S!
ACH, WHIT ARE YE FUSSIN' ABOOT? YE BAITH WEAR THE SAME KIND O' SOCKS!

YOU'VE DONE IT AGAIN, MAW— MIXED UP DAPHNE'S CLOTHES WITH MINE . . .
NO' YOU AS WELL!

LOOK! THESE ARE DAPHNE'S TIGHTS!
OCH, WHA'S TO KNOW THE DIFFERENCE?

I DINNA KEN WHIT YE'RE GETTIN' UPSET ABOOT. I'M SORRY I GOT YOUR CLAES MIXED UP, BUT IT'S NO' AS IF ANYBODY OOTSIDE THE FAMILY WOULD HAVE NOTICED!

THEY'LL NOTICE THIS LOT, THOUGH! YE'VE MADE A RICHT MISTAKE THIS TIME, MAW!

HELP M'BOAB!

JINGS, I HOPE WE MAK' AS BIG AN IMPRESSION AT THE BOOLIN' CLUB'S FANCY DRESS PARTY! WE JUST LOOKED IN TO SEE WHIT YE THOUGHT O' OOR FUNNY TOGS!
PHEW!
HO-HO!
HA-HA!

Black marks for a Broon —

When the midgies swoop doon!

ALL SET FOR A WEEKEND AT THE BUT 'N' BEN . . .
AH, IT'S GRAND TAE GET INTAE THE COUNTRY!

AYE, IF IT WISNAE FOR THAE MIDGIES!

GERRAFF! SHOO! BEAT IT!
HEY! THAT'S OOR BEANO!

WE'LL BE EATEN ALIVE. RUN FOR IT!

HURRY UP, PAW!
I'M COMIN'! PUFF! PECH!

MADE IT! COME ON, YOU TWA! GET IN AFORE THE MIDGIES CATCH UP!

PHEW! JIST IN TIME!

JINGS, I'M BILIN' EFTER THAT RUN!

LET'S GET SOME AIR INTAE THE HOUSE.
EH? NO! NO!

SWISH!
SWIPE!
YE DAFT GITE! FANCY OPENIN' THE WINDIE TAE LET THEM IN!
PUFF! PUFF!
SWAT!

Paw's in disgrace, and all because —

SPLUTTER
TEA

He couldn't think whit day it was!

GRAND BREAKFAST, MAW! TIME I WAS AFF TAE WORK!
THAT'S RIGHT! JUST GO! DINNA BOTHER TAE REMEMBER WHIT DAY IT IS!
WHIT DAY? OH JINGS! WHIT HAVE I FORGOTTEN?
IS IT OOR WEDDIN' ANNIVERSARY? NO!
MUST BE HER BIRTHDAY! BUT I'M NEAR CERTAIN SHE HAD ANE RECENTLY!
END OF THE DAY —
I STILL HAVENAE WORKED OOT WHIT THE OCCASION IS, BUT I DARENAE GO HAME EMPTY-HANDED!
MISS McCRINDLE
FLORIST
HERE, MAW! I, ER, DIDNAE REALLY FORGET WHIT DAY IT IS!
OOH! BONNY FLOOERS!
OH NO?
THEN WHY DID YE NO' TAK' THE WASTE PAPER DOON FOR THE COLLECTION LIKE YE DO EVERY OTHER TUESDAY?
GASP!
CHORTLE!
HO-HO!
HA-HA!

ARITMETIC

Please, please —

Dinna sneeze!

DUH! FANCY CATCHIN' A CAULD IN THE BIDDLE O' SUBBER!
CHEER UP! IT'S A FINE DAY. WE'LL TAK' A TURN ROOND TAE GRANPAW'S.

HELLO, MY WEE PET! IN YE COME, A'BODY. YE'RE A' WELCOME . . .
HELLO, GRANPAW!

. . . EXCEPT HIM!
CHOO
EH?
YE'RE JOKIN'!

NO, I'M NO'. HE'S NO' COMIN' INTAE MY HOOSE WI' THAT CAULD!
AWA', YE AULD COWARD SCARED O' CATCHIN' A CAULD, ARE YE?

FANCY TREATIN' YER GRANDSON LIKE THAT!
AYE, EFTER A' HE'S DONE FOR YOU!
EH? OH, WELL, HE CAN COME IN THEN —

— BUT KEEP WELL AWA' FRAE . . .

WELL AWA' FRAE YOU, YE AULD SCAREDY!
AH-
AH-
NO, WELL AWA' FRAE MY —

— MATCHSTICK MODEL . . . AW!
OOH!
CHOO
JINGS!
TOO LATE!

Help m'boab! Jist look at Maw—

The rollin' pin's come oot for Paw!

PAW'S LATE HAME FRAE THE INDOOR BOOLIN'!

HALF AN HOUR LATER —
TCH! HE'S A LOT LATER THAN HE SAID!

RIGHT! THAT'S THE LIMIT! OOT WI' THE ROLLIN' PIN.

JINGS! SHE CANNA BE . . .

SHE MUST BE . . .!

THIS ISNAE LIKE MAW! WE'LL HAE TAE CALM HER DOON!

MAW! BE REASONABLE! PAW'S NO' USUALLY LATE!
BUT HE IS TONIGHT!

AND HIS STEW'S GOT THAT DRIED UP, I'LL JIST HAE TAE TURN IT INTO A PIE!
PHEW!
WELL!
SORRY I'M LATE, MAW! THAT SMELLS BRAW!

It's a real laughalot—

When there's tea in the pot!

HEY, GRANPAW! COME AND HOLD UP THIS SHELF FOR ME!

HMPH! HE'S GETTIN' REALLY DEAF!

HEY, GRANPAW! THE MAN IN THE CORNER SHOPPIE SAYS YE STILL OWE HIM FOR YESTERDAY'S ROLLS!

HE DIDNAE HEAR YE! HE'S GETTIN' DEAFER EVERY DAY!

HEY, GRANPAW! CAN I HAE THE POUND I LENT YE LAST WEEK?

POOR AULD GRANPAW! HE NEEDS A HEARING AID!
YE THINK SO, EH?

SHHH! I'LL MAK' YE A CUP O' TEA, BUT WE'LL NO' DISTURB GRANPAW!

TEA, IS THERE? I'LL HAE A CUPPIE.

YE AULD ROGUE! IF YE HEARD MAW WHISPERIN', THEN YE HEARD THE REST O' US! HELP ME WI' THIS SHELF!
AYE, AN' LET'S HAE THAT ROLL MONEY!
AN' MY POUND!
HO! HO! A CUP O' TEA'S THE BEST HEARIN' AID THERE IS FOR HIM!

The worst chipper in toon—

But it's right for Paw Broon!

NOW THEN! TIME TAE GET STARTED!

AW, JINGS! I FORGOT!
EH?

MAYBE THERE'S STILL A CHANCE!
WHIT'S GOIN' ON?

SORRY, MR BROON! YE'RE A COUPLE O' DAYS TOO LATE!
ACH!

AND—
NO, WE SOLD OOT DAYS AGO!
TCH!

THERE'S ONE LAST CHANCE!

WOULD YE BELIEVE IT! PAW'S GOIN' INTAE GREASY PETE'S!
IT'S THE WORST CHIPPER IN TOON!
PETE'S CHIP SHOP

OH, AYE, YE'RE RIGHT! THEY'RE THE WORST FISH SUPPERS I'VE EVER TASTED—

—BUT AT LEAST HE WRAPPED THEM IN LAST WEDNESDAY'S WEEKLY POST! I NEEDED IT FOR THE POOLS FORECAST!
HO-HO!
WID YE BELIEVE IT!
AHEM!
WELL!

Is Maw in pain? Is puir Maw ill?—

That's whit the menfolk think, until . . .

HELLO, MAW! WATCHIN' THE TELLY, ARE YE?
SSH!
I CANNA HEAR WI' YOU TWA TALKIN'!
NAE WONDER! YE HAVENA GOT THE SOUND TURNED UP!
THERE! THAT'S BETTER! WE'LL A' HEAR NOW!
NO, NO! THAT'S MADE IT WORSE!
WHIT'S WRONG, MAW? HAVE YE GOT A SAIR EAR?
WHEESHT!
MEBBE IT'S HER NECK THAT'S STIFF!
SHE'S ACTIN' AFFY FUNNY.
MEBBE WE SHOULD GET THE DOCTOR!
AYE, WE'LL GO AND PHONE HIM!
WORRY
BUT—
THAT'S IT!
EH?
THUD! THUD! THUD!
WELL!
GASP!
WID YE BELIEVE IT!
MRS GREEN SAID SHE'D THUMP ON HER CEILING WHEN SHE'D GOT OOR FLY CUP READY!

A' this darnin' and mendin'—

Is jist never-endin'!

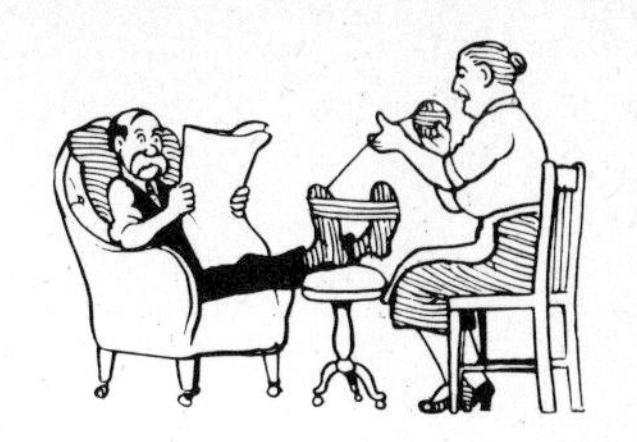

MAW, I'VE TWA HOLES IN MY SOCKS!
TAK' THEM AFF, AND I'LL DARN THEM.
TUT-TUT!

AND THEN —
MEBBE YE COULD DAE SOMETHIN' WI' THAE GLOVES WHILE YE'RE AT IT!
SIGH! A'RIGHT, PIT THEM IN THE MENDIN' PILE!
TCH!

LOOK AT OOR JERSEYS, MAW!
THAT'S WHIT HAPPENS WHEN YE LEAN ON YER ELBOWS! TAK' AFF YER JERSEYS, THEN, AND I'LL SEE WHIT I CAN DAE!
HMPH! MAIR HOLES TAE DARN!

I'D BETTER GET STARTED! IF THERE'S ANYTHIN' ELSE THAT'S NEEDIN' DARNED, TELL ME ABOOT IT NOW!
SIGH.

ME'LL LOOK FOR MAIR HOLEY THINGS!

WELL! WID YE LOOK AT THAT! THIS WOULD TAK' MA A' NIGHT! ME'LL DAE IT FOR HER!

LATER —
JIST WAIT TILL ME SEES HEN BROON! ME'S DARNED IT AN' PATCHED IT, BUT IT'S STILL NO' MENDED!
EH? BUT I'VE NOTHIN' HOLEY . . .!

IT'S NAE GUID, MAW, WE'LL JUST HAE TAE THROW THIS ANE OOT!
SO THAT'S IT! SHE'S BEEN TRYIN' TAE MEND MY STRING VEST!
HO-HO!
THE WEE SOWEL!

There's trouble in store— Wi' this draughty door!

JINGS! THIS IS AN AWFY HOOSE FOR DRAUGHTS!

HMPH! NAE WONDER THERE'S A DRAUGHT. THE DOOR'S WIDE OPEN!
WELL, IT'S GOT TAE BE OPEN SOMETIMES! I'M JUST PITTIN' OOT THIS BOX O' STUFF FOR THE SQUARE TABLE. THEY'RE COLLECTIN' FOR A JUMBLE SALE.

HUH! EVEN WI' THE DOOR SHUT AGAIN, THERE'S A DRAUGHT! WE'VE GOT SOME DRAUGHT EXCLUDER STUFF — I'LL SCREW IT A' ROOND THE EDGES!

CRIVVENS, YE'RE NO' HALF MAKIN' A MEAL O' THAT JOB.
AYE, FANCY TAKIN' THE DOOR AFF ITS HINGES!
HMPH! IF A JOB'S WORTH DAEIN', IT'S WORTH DAEIN' PROPERLY!

PHEW! IT'S HARD WORK, THOUGH! I'LL HAE A CUP O' TEA AFORE I DAE ANY MAIR!
TCH! WABBIT ALREADY, ARE YE?

THERE'S NAE WORD ABOOT THE DOOR BEIN' OPEN NOW, I NOTICE!
HAUD ON! I'LL SOON GET IT BACK ON!

BUT . . .
JINGS! I'LL NO'! IT'S GONE!
THE BOXES ARE AWA' AS WELL! THE SQUARE TABLERS HAVE TAKEN THE LOT FOR THEIR JUMBLE SALE!

QUICK! EFTER THEM! YOU AN' YER BRAW IDEAS! IT'S NO' DRAUGHT EXCLUDER WE'LL NEED, IT'S A NEW DOOR!

HEY! CALM DOON, YOU TWA!
THERE'S NAE NEED TAE PANIC! WE TOOK THE DOOR INTAE OOR ROOM TAE FINISH THE JOB FOR PAW!
SHEESH!

Puir auld Granpaw's gone and done it—

He's come tae grief and lost his bunnet!

MAW! PAW! SOMETHING TERRIBLE'S HAPPENED TAE GRANPAW!
EH? TELL US! QUICK!

HIS BONNET FELL AFF DOON THE STREET!
EH?

HUH! GETTIN' US A' WORRIED! THERE'S NOTHIN' TERRIBLE ABOOT THAT!
THERE IS!

THERE'S A BIG POLISMAN TAKIN' DOON PARTICKLERS . . .

AND THERE'S A MANNIE AFFY ANGRY WI' GRANPAW ABOOT THE BONNET!
EH?

I CANNA MAK' HEID NOR TAIL ABOOT THIS!
AYE, HOW CAN THERE BE A' THIS FUSS ABOOT AN AULD BUNNET?

10
JINGS! SO THAT'S WHIT IT'S A' ABOOT!

YE DAFT GOWK, GRANPAW BROON! FANCY TAKIN' DRIVIN' LESSONS AT YOUR AGE!
L
EASY PEASY SCHOOL OF MOTORING

Draw after draw—

It's lookin' jist braw!

A'RIGHT, A'BODY. LET'S HAE A BIT O' HUSH!
OH, JINGS! HERE WE GO AGAIN! THE WEEKLY POOLS CHECK!
A WASTE O' TIME!

ARSENAL, ONE, PLYMOUTH ONE . . .
ROCK-A-BYE, BABY, ON THE . . .
SHUSH! I CANNA HEAR THE RADIO!

AND THEN —
CHECKIN' YER POOLS, EH? A WASTE O' TIME!
LIVERPOOL, THREE, EVERTON, ONE.
IZZATSO?

AYE, ZATTSO!
NEWCASTLE, ONE, NORWICH, ONE.
HAUD YER WHEESHT!

WEST HAM, THREE, CHARLTON, THREE.
IT'S NO' AS IF YE'RE GOIN' TAE WIN ONYTHIN' . . .
WE'LL SEE, WE'LL SEE! JIST BE QUIET!

CELTIC, TWO, HEARTS, TWO.
YE CAN SIT THERE A' DAY, BUT YE'VE NAE CHANCE O' A DIVVY!
OH, AYE, SEZ YOU AND WHA ELSE?

SEZ ME, THAT'S ENOUGH! I'M TELLIN' YE, YE'VE NAE CHANCE . . .!
FORFAR, TWO, EAST FIFE, ONE.

AIRDRIE, ONE, BRECHIN, ONE.
THAT'S IT! I'VE DONE IT . . . EIGHT DRAWS!

NOO, THEN, WHIT WIS IT YE WIS SAYIN' ABOOT NO' WINNIN'?

AS I WIS SAYIN', NOO THAT YE'RE LISTENIN' — YE CANNA WIN, 'COS I FOUND YER COUPON IN THAT BOOK YE LENT ME. YE FORGOT TAE POST IT!
WID YE BELIEVE IT! CHUCKLE!
HO-HO!

See Granpaw loup right ower that fence—

He's desperate tae meet Tam Spence!

SOON BE HAME!
AYE, I'M DYIN' FOR A CUPPY!

JINGS! IT'S TAM SPENCE!

STOP THE BUS!
HEY, GRANPAW. NO' SAE FAST!

TAM SPENCE, EH? I HAVENA SEEN HIM FOR FIFTY YEARS!
BUS STOP
MUST BE ANE O' HIS SPECIAL PALS!

TAM! HEY, TAM! WAIT!
HE MUST'VE BEEN AFFY FOND O' HIM!

STOP! TAM! WAIT FOR ME!
I'VE NEVER SEEN GRANPAW IN SUCH A STATE!
THAT'S WHIT YE CA' A REAL FRIENDSHIP! EFTER A' THESE YEARS . . .

IT IS TAM SPENCE, ISN'T IT? TAM SPENCE THAT USED TAE BIDE IN COB STREET, AFORE THE WAR?
AYE, THAT'S ME!

YE NEVER DID PAY ME BACK THAT TWA BOB I LENT YE TAE GET INTAE THON FITBA' MATCH!
HO-HO!
OH!

The news is bad — Maw's in a tizz—

Ye'll never guess whit the trouble is!

THE MORNING POST . . .
THANKS, TAM!
OH, MICHTY!
PAW! HEN! JOE! IT'S BAD NEWS!
WHAT?
GRANPAW'S ELOPED WI' BESSIE BLACK!
GRETNA GREEN 2
NO, NO!
AUNTIE JESSIE'S COMIN' FOR A VISIT!
NO, IT'S . . .
LET'S SEE IT! DINNA TELL ME SANDY SCOTT WANTS HIS MELODEON BACK!
YE'VE HAD IT SINCE 1942!
NO, NO, IT'S . . .
HEY! THIS IS JIST A NICE FRIENDLY LETTER FRAE MAISIE WILSON IN AUSTRALIA. WHAUR'S THE BAD NEWS?
OOT ON THE STAIRS!
TAM TRIPPED AND TWISTED HIS ANKLE!
AYE, LADS, THAT'S ME OOT O' THE BOOLIN' TEAM!
TAM! HOW COULD YE DAE THIS TAE US ON THE EVE O' THE BIG MATCH?

Paw gets their goat wi' a' his grouchin'—

But someone's goin' tae stop HIM shoutin'!

HEY! YOU TWA!
SCUFF!
SCUFF!

WALK PROPERLY! LIFT YER FEET!
EH?
HMPH!

TELL THEM AFF! THEY'RE DAEIN' THE SAME!
I WILL THAT!
SCUFF!
SCUFF!

LIFT YER FEET! YE SHOULD KEN BETTER AT YOUR AGE!
ACH!
AULD GRUMPER!

WHIT ABOOT HIM? HE'S EVEN AULDER THAN US!
AYE, GET ON TAE HIM!
I WILL!
SCUFF!

SMARTEN YERSEL' UP! LIFT YER FEET!
HMPH!

HE'S AN AULD NARK, GOIN' ON ABOOT THE WAY WE WALK!
WHINE
DINNA WORRY! I THINK HE'S JIST ABOOT TAE GET THE SAME TREATMENT!

COME ON! I CANNA HAE YOU SLOUCHIN' ABOOT WHILE I'M CLEANIN'! LIFT YER FEET!

Granpaw looks a sight indeed—

Wi' that bunnet perched upon his heid!

WHAUR IS SHE? WHAUR'S MAW?
IN THE KITCHEN!
WHAT'S UP, GRANPAW?
WHIT'S UP? I'LL TELL YE WHIT'S UP! LOOK AT MY BUNNET!
LOOKS A'RIGHT TAE ME!
SLIM
AYE, IT'S CLEAN FOR ONCE!

BUT LOOK AT THE SIZE O' IT!
GASP!
OOH! WHIT A WEE BUNNET!

YOU! YE'VE SHRUNK MY GUID BUNNET! YE SHOULD HAVE BEEN MAIR CAREFUL WHEN YE WASHED IT!
SHRUNK IT? NEVER!

HOW DAE YE EXPLAIN THIS, THEN? AND I'VE BEEN OOT WEARIN' IT, AS WELL!
IT'S NO MY FAULT! I'VE BEEN WASHIN' THINGS FOR TOO MANY YEARS TAE SHRINK THEM!

COOEE! IS YER GRANPAW IN?
AYE, HE'S HERE. COME IN!

GRANPAW! IT'S A MANNIE WEARIN' A TOO-BIG BUNNET!
THAT'S RICHT! IT'S YOURS! AND YOU'VE GOT MINE!
EH? GULP!

IT WIS THAT LAST GOAL THAT DID IT! WE MUST'VE CAUGHT THE WRANG BUNNETS!
HO-HO!
OOER!
SLIM
HA-HA!
HMPH! NEXT TIME, YE CAN WASH YER AIN BUNNET!
CHORTLE!

Well, well, well! Who'd ever guess—

That Horace would look such a mess!

JIST LOOK AT YE! YE'RE A DISGRACE! AYE FIGHTIN' . . .!
YE SHOULD BE ASHAMED O' YERSELS! YE'RE AYE IN A MESS!

LOOK AT HORACE! YE NEVER CATCH HIM FIGHTIN'!
AYE, YE NEVER SEE HIM WI' A HAIR OOT O' PLACE!
OH, JINGS!

THAT'S RIGHT! YE'LL NEVER CATCH ME FIGHTIN'!
HOI! WHA ARE YOU PRODDIN'?

I'M PRODDING YOU, SCRUFFY! I WOULDNA BE SEEN DEID LOOKIN' LIKE YOU ! AND THAT GOES FOR BAITH THE TWA O' YE!
HORACE! GASP!
JINGS!

OH!
SCRUFFY!
JESSIE!
SWOT!
OOH!

LISTEN! THERE'S SOMEBODY AT THE DOOR!
DDDRING!
ME GO!

OH, IT'S YOU, DAISIE! COME AWA' IN! COOEE, HORACE! IT'S FOR YOU!

OH, ER, HELLO, DAISIE!
HORACE BROON! REALLY!

I'M CERTAINLY NOT GOING TO USE MY SPARE TICKET TO TAKE YOU TO THE SCHOOL DISCO! GOOD-DAY!

PHEW! THAT WIS CLOSE! THANKS, LADS! LUCKY I SAW HER COMIN' DOWN THE STREET!
HO-HO! SO THAT'S IT!
CHUCKLE!
OOH!
CHORTLE!

Puir auld Granpaw! Whit a plight!—

He's won a fortune. Aye, that's right!

ME MET GRANPAW DOON THE STREET. HE'S JIST WON A FORTUNE!
EH?
WHISSAT?
A FORTUNE? JINGS! WHIT ARE WE WAITIN' FOR? COME ON!

HANG ON! THE BAIRN'S PROBABLY GOT IT WRANG! WE'RE AYE RUSHIN' OWER THERE ON FALSE ALARMS!
FUNNY THING IS, HE WISNAE VERY PLEASED ABOOT IT!
THERE, YE SEE! SHE HAS GOT IT WRANG!

I HAVE NOT! GRANPAW SAID HIS TICKET HAD THE WINNIN' NUMBER AN' HE'D WON A FORTUNE!

IT DOESNA SOUND LIKE SHE'S GOT IT WRANG! COME ON!

HEY, GRANPAW! CONGRATULATIONS!
HUH! THANKS A LOT!

FOR A MAN WHO'S WON A FORTUNE YE DINNA LOOK VERY HAPPY. ARE YE SURE YE'VE WON THE FIRST PRIZE?
OH, AYE . . . THAT'S THE TROUBLE!

THIRD PRIZE WIS A BOX O' CHOCOLATES . . . SECOND PRIZE WIS A STEAK PIE, AND I HAD TAE GO AN' WIN FIRST PRIZE . . .

. . . A FORTUNE TELT BY MADAME ZEE ZEE!
HO-HO! THAT KIND O' FORTUNE!
CHUCKLE!
LATEST HI-TEC CRYSTAL BALL
PALMS READ WHILE YOU WAIT
THE FAMOUS MADAME ZEE ZEE
PUIR GRANPAW!
AW!

Loads o' laughs an' loads o' grins—

Wi' another set o' "twins"!

SNAP!
HEY! YOU CHEATED!

I DID NOT!
YE DID SO!
HERE, HERE! THAT'S ENOUGH! CALM DOON!

A'RICHT, YOU TWA. WE'LL SUPERVISE THE NEXT GEMME!
AYE, START AGAIN!
HMPH!
GRUMP!

HERE WE GO, HERE WE GO!

SNAP!
SHEESH!
CRIVVENS!

I SAW IT FIRST!
AWA'! I DID!
RIGHT! THAT DOES IT!

IF YE CANNA BE CIVILISED ABOOT IT, THERE'S TAE BE NAE SNAP IN THIS HOOSE!
HELLO, MAW! I'VE BEEN AT THE SALES.
ME AS WELL! WE'RE AWAY TO COMPARE WHAT WE BOUGHT!

SNAP! HO-HO-HO!
I SAW IT FIRST!
I BET YE DIDNAE!
JINGS! IS THAT MAIR TROUBLE OWER THAT DAFT CARD GAME?

COPY CAT!
CHEAT!
NO, MAW! IT'S NO' A CARD GEMME THIS TIME!
HA-HA!
WELL!

A missing key? Why a' the tizz?—

Paw knows exactly where it is!

AFF THE BUS, A'BODY!
JINGS, I'M REALLY LOOKIN' FORWARD TAE THIS WEEKEND AT THE BUT 'N' BEN!
I SUPPOSE YE DID MIND TAE BRING THE KEY?

THE KEY? JINGS! THE KEY!
PAW!

IT'S NO' IN THIS POCKET . . . OR THIS YIN!

I'VE GOT TAE ADMIT IT — I HAVENAE GOT THE KEY!
EH?
YE ABSENT-MINDED AULD . . .

THAT'S IT THEN! HAME ON THE NEXT BUS! NAE WEEKEND AT THE BUT 'N' BEN FOR US!
AULD SCUNNER!
HMPH!

A'RICHT! CALM DOON! IT'S ONLY MY WEE JOKE! I JIST WANTED TAE SHOW YE HOW MUCH YE DEPEND ON YER AULD FAITHER!

IT'S TRUE I HAVENAE GOT THE KEY. I'VE GOT HOLES IN BAITH MY POOCHES, YE SEE, SO FOR SAFETY'S SAKE —

— I SLIPPED IT INTAE MAW'S WEE HANDBAG AFORE WE LEFT THE HOOSE!
YE WHAT?

BUT I DIDNAE BRING MY WEE HANDBAG. I BROUGHT MY BIG HOLDALL!
GASP!

WEE JOKE! HMPH!
AYE, I DINNA SEE HIM LAUGHING NOW!
BLUSH!

There's something wrong—

Wi' this sing-song!

WATCHIN' THE BOXIN' ARE YE? SORRY . . .
EH?
WHISSAT?

. . . BUT IT'S TIME FOR 'GALLUS'. WE AYE WATCH IT!
HEY!
WHIT'S GOIN' ON?

WE WANT TAE SEE THE FIGHT!
WELL, WE'RE WATCHIN' 'GALLUS'!
YE NEEDNA BOTHER ARGUIN' . . .

. . . BECAUSE I'M SWITCHIN' AFF THE TELLY SO I CAN HEAR THE SERIAL ON THE WIRELESS!
— MAISIE MACKAY'S JIST LENT ME HER NEW RECORD . . .

YE CANNA HEAR IT JIST NOW. THE WIRELESS IS ON!
BUT WHAT ABOUT 'GALLUS'?
WE WANT TAE WATCH THE BOXIN'!
HMPH!

THE TROUBLE WI' YOU LOT IS YE'RE SPOILT WI' A' THAE GADGETS! WHEN I WIS YOUNG, WE JIST GATHERED PEACEFULLY ROOND THE PIANO AND HAD A RARE WEE SING-SONG!

AND THAT'S HOW IT'S GOIN' TAE BE TONIGHT! PEACE AND HARMONY!
AH, WELL, MEBBE YE'RE RIGHT!
AYE, HE'S GOT A POINT! IT'LL STOP US ARGUIN'!

RIGHT, WHIT'LL WE SING? SOMETHIN' SCOTTISH!
NO, NO, SOMETHING FROM THE GONDOLIERS!
LET'S HAE CILLY WHITE'S LATEST!
WHIT'S WRANG WI' DANNY BOY?

SCOTS WHA HAE!
GONDOLIERS!
SHEESH!
OOBEE, DOOBEE, OOBEE!
CILLY WHITE!
YE KEN FINE DANNY BOY MAK'S ME GREET!
PEACE AND QUIET? YE CANNA WIN WI' THIS FAMILY!

Whit's makin' Daphne sigh and fret?——

It's the funniest story yet!

PAW! PAW! THERE'S SOMEBODY MOVIN' ABOOT IN THE HALL!
WHIT? AT HALF PAST FIVE IN THE MORNIN'?

DAPHNE!
AYE, IT'S ME. I COULDNA SLEEP!

I'VE GOT SOMETHIN' ON MY MIND!
WHIT IS IT, DAPHNE?

OH, IT'S NOTHIN'. YE'D JIST THINK I WIS BEIN' SILLY!

COME ON, NOW. YE CAN TELL YER MA AND PA. WHIT IS IT? HAVE YE LOST YER JOB?

NO! WIS THAT THE LETTER BOX I HEARD?
HARDLY! IT'S NO' SIX O'CLOCK, YET!
I KEN WHIT'S BOTHERIN' YE, DAPHNE!

YE'RE UPSET OWER A LAD. YE'RE WAITIN' FOR A LETTER FRAE HIM!
A LAD? THIS IS MAIR IMPORTANT THAN ANY LAD!

HERE, HAE SOME BREAKFAST, SEEIN' YE'RE UP!
NO, NO! I'M TOO TENSED UP TAE EAT!
YOU'D BETTER JUST LEAVE HER ALONE, MAW. SHE'S BEEN PACING ABOUT ALL NIGHT!
BUT WHIT'S WRANG WI' HER?

RATTLE!
THAT'S IT! THE PAPER LADDIE AT LAST!
SHE'LL BE ALL RIGHT NOW!
EH?

OOH! IT'S A'RIGHT, MAGGIE. SUZANNE FINDS THE LETTER THAT NICHOLAS WROTE TAE HER AFORE THE ACCIDENT THAT PIT HIM IN HOSPITAL WHAUR HE MET THE NURSE THAT KNEW HIS BROTHER AND NOW SUZANNE AND THE BROTHER ARE GETTIN' ENGAGED AND NICHOLAS AND MARGIE — THAT'S THE NURSE — WANT TAE MAK' IT A DOUBLE WEDDIN'... OOH...
SHE'S BEEN DYING TO FIND OUT HOW THE SERIAL FINISHES IN THE "PEOPLE'S FRIEND".
GASP!

Maw's sporting career—

Starts right here!

I SEE MAW'S PRACTISIN' FOR THE TOON SPORTS DAY!
EH? SHE'S WHAT?
DINNA BE DAFT!

I'M TELLIN' YE! SHE'S DOON IN THE GREEN, TRAININ' LIKE MAD!
FOR WHAT?
ME SEE!

THE POLE VAULT?
NO!

SURELY NO' THE HURDLES?
NO! NO!

OCH, NO!
THE LONG JUMP, THEN?

IS IT THE RELAY RACE, THEN?
DEFINITELY NOT!

THERE YE ARE—

—THE TUG-O'-WAR!
HO-HO!
GUID AULD MAW!
HA-HA!
CHUCKLE!
I'M TELLIN' YE, THIS IS MY CLOTHES ROPE!
IT IS NOT! I LEFT IT UP YESTERDAY!

It's a real catastrophe—

When the Bairn gies the game away!

I'M AFF TAE THE SHOPS FOR SOMETHIN' FOR OOR DINNER. HAS ANYBODY ONY MONEY — I'M AFFY SHORT THIS WEEK!
MONEY? OH, ER . . .

SORRY, MAW. I'M SKINT THIS WEEK.
ME AS WELL!
I BOUGHT A DRESS YESTERDAY. I'M BROKE NOW!
HMPH!

OH, WELL, I'LL JIST GO AND GET A HAM BONE AND MAK' A POT O' SOUP. THAT'LL HAE TAE DAE!
AYE!

HOME AGAIN —
I'D BETTER GET THAT SOUP ON, THEN.

LATER —
HERE'S THE CUP O' SUGAR I BORROWED YESTERDAY, MRS BROON.
OH, THANKS, MRS ROBERTSON.

MY, YOU LOT LOOK LIKE A WET WEEKEND. ONLY THE BAIRN'S SMILIN'!
AYE, ME'S HAPPY 'COS WE'RE GETTIN' A WEE DUG!

A DUG? MY!
WHAT?
AYE, I HEARD MAW ASKIN' THE BUTCHER FOR A BONE FOR THE DUG!

CHOKE!
BLUSH!
AND THE DUG MUST BE COMIN' SOON, 'COS MAW MADE A POT O' SOUP WI' HIS BONE!
HO-HO-HO!
SHEESH!
THIS'LL BE A' ROOND THE STREET BY FIVE O'CLOCK!

Jist look at this! It would appear—

There's something funny going on "ear"!

WELL, IF YE'RE GOIN' TAE TRY IT, YE'LL HAE TAE HURRY UP!
OKAY! OKAY! WHAUR IS IT!

HERE YE ARE. PASS IT ROOND!
IT'S A'RIGHT. IT'S JIST GONE FOWER O'CLOCK!
COTTON WOOL

AND SO —
MADE IT! THAT WIS CLOSE!

AND SO THEY SIT, IN PEACE AND QUIET, AND NOTHING DO THEY HEAR. THEY KNIT, AND READ, AND LOAF AROOND, TILL FIVE O'CLOCK DRAWS NEAR . . .

OKAY, A'BODY. TIME'S UP. IT'S SAFE TAE GET RID O' YER COTTON WOOL!
PHEW! GREAT!
AYE, SMASHIN'!

JUST THEN —
HELLO, 'A'BODY!
HELLO, HORACE! MY, YER VIOLIN PLAYIN'S GETTIN' BETTER A' THE TIME, SON!
AYE, WE A' ENJOYED IT!
IT WIS A RARE TREAT, LISTENING TAE YE!

MY, IS THAT SO? THEN YOU MUST A' HAE GREAT HEARIN' —

— BECAUSE I DIDNA PRACTISE IN MY BEDROOM TODAY. I STAYED IN SCHOOL TAE PRACTISE WI' THE OTHERS! I'M JIST THIS MEENIT IN THE HOOSE!
BLUSH!
GULP!
OH, JINGS!
HMPH! THIS IS A' YOUR FAULT, PA BROON! MAKIN' US A' LOOK SILLY!
WHISTLE!

The menfolk's latest plan's a shocker—

Granpaw thinks their aff their rocker!

JINGS, GRANPAW! WHIT'S WRANG WI' YE?
OCH, IT'S THAT ROCKIN'-CHAIR. IT TILTED AGAIN!

NAE WONDER! THAT AULD CHAIR'S PAST IT!
AYE, IT'S A POSITIVE DANGER!
YE WOULDNA CATCH ME SITTIN' IN THAT!

LEAVE THIS TAE US! WE'LL AWA' AND GET YE A NEW ANE!

AND SO—
HERE IT IS, THEN!
JINGS, IT'S AN AFFY FLAT CHAIR!
DINNA BE DAFT! WE'VE GOT TAE FIX IT TOGETHER.

THIS WINNA TAK' US LANG!
SELF ASSEMBLY ROCKING CHAIR
INSTRUCTIONS

BUT—
THIS BIT WINNA FIT!
THEY MUST BE THE WRANG SIZE.
MEBBE YE'VE GOT THEM UPSIDE DOON . . .

MUCH LATER—
HERE, JOE — PUSH HARD ON THIS BIT!
GET IN, YE STUPID JOINT!
WHA STOOD ON THE GLUE?
NO' LONG, EH? YE'VE BEEN AT IT FOR ABOOT THREE HOURS SO FAR!

AH, BUT WE'VE FINISHED NOW. THERE YE ARE —

— A BRAND NEW ROCKIN'-CHAIR!
MEBBE YE SHOULD FIT IT WI' A SEAT BELT!
GASP!
CHORTLE!

When it comes tae gettin' tatties lifted—

Full marks tae Granpaw. Man, he's gifted!

T PAW'S ALLOTMENT . . .
I HEAR YE'VE BOUGHT A BRAW NEW GAIRDENIN' FORK.
AYE, THERE IT IS, AGAINST THE SHED!

YE'LL NO' MIND IF I BORROW IT TAE LIFT MY TATTIES?
ER, WELL, WHIT ABOOT YER AIN FORK?

OCH, I HIT A BIG ROCK WI' IT AND THE PRONGS GOT BENT!

BUT YE'VE GOT A SPADE! WHIT'S WRANG WI' THAT?
OH, THE SPADE . . . ?

I SNAPPED THE SHAFT TRYIN' TAE GET THE BIG ROCK OOT!
SNAP!

HERE, HANG ON! GIE ME MY GUID FORK BACK!

YE'RE OWER CARELESS TAE TRUST WI' MY GUID NEW FORK! I'LL DIG UP YER TATTIES FOR YE!
OH, WELL, SUIT YERSEL'!

REFUSE
COLLECTION
HEY, BROON! I'VE PICKED UP SOME MAIR BROKEN TOOLS. DAE YE WANT THEM AS WELL AS THE OTHERS?
LOOK, PAW! GRANPAW'S TOOLS WEREN'T BROKEN EFTER A'. ME FIND THEM IN THE SHED.
YE CRAFTY AULD DEIL! A' THAT, JIST SO I'D DIG UP YER TATTIES FOR YE!

SPLUTTER
BACCY
TEA

Paw's in trouble afore—

He gets through the door!

STOP! IT'S RAININ', OOTSIDE, ISN'T IT? WELL, DINNA COME IN HERE WITHOOT WIPIN' YER FEET!
HMPH!
ACH!
BROWN

TCH! IT'S A WASTE O' TIME, WIPIN' YER FEET ON THIS AULD MAT!

LOOK AT IT! IT'S FALLIN' TAE BITS!

I'M GLAD YOU AGREE! I'VE BEEN SAYIN' THAT FOR MONTHS! YE CAN JIST PIT YER HAND IN YER POOCH AND BUY ME A NEW ANE!
HO-HO!
SERVES YE RIGHT FOR OPENIN' YER MOOTH!

A'RIGHT! I'LL GO DOON TAE THE IRONMONGERS RIGHT NOW AND GET ANE!
CHUCKLE!
PUIR PAW!

SOON—
THERE! THIS'LL KEEP YE HAPPY!
WELCOME
GRAND!

NEXT NIGHT—
HEY! WHAUR'S THE NEW DOORMAT?
BROWN
DINNA TELL ME SOMEBODY'S NICKED IT!

CRIVVENS!
SWOON!
SHEESH!
WIPE YER FEET ON THE AULD DOORMAT FIRST! YE'R NO' MAKIN' MY NEW DOORMAT DIRTY!
MEN!
WELCOME

Granpaw's ploy works oot a'right—

Ye can see it here, in black and white!

HELLO, A'BODY! IT'S A BIT CAULD OOT THERE, SO I'VE BROUGHT AULD TAM UP FOR A CUP O' TEA!
GRAND! THE KETTLE'S JUST BOILED!
I SEE YE HAVENAE DONE IT YET, THEN.
EH? WHA HASNAE DONE WHAT?
YOU! YE HAVENAE LIFTED THE CARPET TAE GIE IT A GUID AIRIN' DOON IN THE GREEN!
CRIVVENS!
WELL MINDED, GRANPAW! I ASKED HIM TAE DAE IT LAST WEEK, THEN I FORGOT A' ABOOT IT!
THANKS FOR NOTHIN'!
LOOKING DAGGERS!
I SUPPOSE I'D BETTER DAE IT NOW!
AYE, I SUPPOSE YOU HAD!
THAT'S IT, THEN! I'LL AWA' DOON WI'—
THERE YE ARE, TAM! I TELT YE THEY STILL HAD THE AULD LINO DOON, UNDER THE CARPET!
IT'S LUCKY I REMEMBERED THIS WHEN WE WERE OWER CAULD TAE PLAY DOON AT THE OPEN-AIR DRAUGHTBOARD IN THE PARK! YOUR MOVE!
CRAFTY AULD DEIL! SO THAT'S WHY HE WANTED THE CARPET LIFTED!

Here's a proper laugh, and how—

See wha's in that duckpond now!

HELLO, GRANPAW! WE'RE JIST AWA' TAE HAE A WEE PICNIC IN THE PARK!
AYE, YOU COME AS WELL, GRANPAW!
GRAND! I COULD DAE WI' A CUP O' TEA!

OOH! LOOK AT THE TWINS!
GET OOT O' THAT POND, YE WEE MONKEYS! STOP CHASIN' THE DUCKS!

WE WERENA CHASIN' THE DUCKS. WE WERE JIST HAEIN' A WEE PADDLE TAE COOL DOON!
HMPH!
WEE DEILS!

I'LL LET YE AFF THIS TIME! BUT DINNA LET ME CATCH YOU PADDLIN' IN THAT POND AGAIN!
WE'LL SAY NAE MAIR ABOOT IT. COME ON! WE'LL HAE OOR PICNIC!
GREAT!

BRAW PIECES, MAW.
AYE, THERE'S NOTHIN' BETTER THAN RASPBERRY JAM SANDWICHES!
HMMM . . .

LATER—
WE'LL NEED TAE TIDY UP PROPERLY. NAE LEAVIN' LITTER . . .
ME SHAKE THE CRUMBS INTAE THE POND FOR THE DUCKIES!
WHIT? CRIVVENS!

GRANPAW!
HEY! YOU! YOU AULD ROGUE — YE'RE WORSE THAN THE BAIRNS. NOW YOU'RE EFTER THE DUCKS!

DUCKS, NOTHIN'! I'M EFTER MY FALSHERS! I TOOK THEM OOT AN' LAID THEM ON THE PICNIC CLOTH, 'COS THE RASHBERRY SHEEDS WERE GETTIN' UNDER MY TOP PLATE!
BLACK AFFRONTED!
JINGS!
QUACK!
SQUAWK!

Paw's waistcoat's tight, he can't deny it—

And now Maw's put him on a diet!

CRIVVENS! MY WAISTCOAT MUST HAVE SHRUNK. I CANNA FASTEN IT!

SHRUNK, NOTHING! YE'RE TOO FAT!
FAT? I'LL HUV YE KNOW, THAT'S A' MUSCLE!
MUSCLE? DINNA MAK' US LAUGH!

IT'S TIME YE DID SOME EXERCISE, PAW!
AYE, START WI' SOME PUSH-UPS!
EH?

. . THREE . . . FOWER . . . FIVE . . .
THAT'LL DAE! NOW FOR SOME RUNNIN' ON THE SPOT!
PUFF!
PANT!

HUP! HUP! GET THOSE KNEES UP!
WHEEZE . . .
GASP!

SOON—
WELL, THERE'S ONE THING — I'VE WORKED UP A RARE APPETITE.

WELL, YE'LL JIST HAE TAE GET USED TAE FEELIN' HUNGRY. YE'RE GOIN' ON A DIET!
EH? B-BUT . . .
HELLO, FOLKS. TEA-TIME, IS IT? GRAND!

HERE YE ARE, GRANPAW. YE CAN HAE THIS PLATE!
FISH AN' CHIPS! BRAW!

I COULD DAE WI' A LOT MAIR LIKE THIS. I NOTICED THIS MORNIN' MY WAISTCOAT'S JIST HANGIN' ON ME!
YER WAISTCOAT'S WHAT?

SO THAT'S WHIT'S BEEN WRONG! WE'VE GOT EACH OTHER'S WAISTCOATS! I MUST HAVE PICKED UP THE WRONG ANE LAST NIGHT AT THE BOOLIN', BUT DIDN'T TRY FASTENIN' IT TILL THIS MORNING!
AH, WELL, TOO BAD YOU DIDNA NOTICE IT UNTIL I'D EATEN YER FISH SUPPER!
HO-HO! THAT'LL TEACH YE TAE BE MAIR CAREFUL, PAW!
HA-HA!
CHORTLE!

Fancy dials an' knobs an' switches—

A sure-fire recipe for hitches!

THERE YE ARE! AT LAST.
WHAUR HAVE YE BEEN?
WE'RE STARVING.
SORRY, A'BODY. I WIS HELD UP AT AUNTY JESSIE'S. I'LL GET YER TEA IN THE OVEN RIGHT AWAY!

IT'LL BE AGES AFORE THAT'S READY TAE EAT! IF YE'D ANE O' THAE AUTOMATIC COOKERS IT COULD'VE BEEN COOKIN' A' THE TIME YE WERE OOT!
OH, AYE, BUT . . .

NEXT DAY—
Cookerama
COME ON, MAW! IT'S TIME TAE GET UP TAE DATE! COME AN' CHOOSE AN AUTOMATIC COOKER!
SALE
OH, I DINNA KEN. I'M NO' UP TAE THAE NEW-FANGLED GADGETS!

PAW WON!
IT'S A BEAUTY, MAW!
I SUPPOSE SO, BUT I DINNA UNDERSTAND A' THAE DIALS!
COME ON, A'BODY. LET'S GO OOT FOR A WALK!

I CANNA GO OOT JUST NOW! LOOK AT THE TIME! I'VE GOT TAE COOK THE DENNER!
JINGS, YE'VE FORGOTTEN ALREADY! YE'RE NO' A SLAVE TAE THE COOKER ANY LONGER!

NOW, THEN — PRESS THIS BUTTON HERE, THEN THIS ANE THERE, SET THE TIMER, AND BOAB'S YER UNCLE — THE DENNER WILL START COOKIN' WHILE YE'RE OOT!
WELL, IF YE'RE SURE!
COOKER

LATER—
JIST THINK, MAW! AT THIS VERY SECOND, YER NEW COOKER HAS SWITCHED ON AND IS STARTIN' TAE COOK THE DENNER!
I STILL CANNA BELIEVE IT!

IN YE GO, MAW! AND THANKS TAE THE WONDERS O' MODERN SCIENCE, THE DENNER'LL BE READY!
AYE, I SUPPOSE SO . . .

. . . OR IT WOULD HAVE BEEN, IF ONLY SOMEBODY HAD REMEMBERED TAE PIT THE FOOD IN THE OVEN AFORE WE WENT OOT!
AHEM!
AW!
GASP!
TSK!

Trust that Bairn! She's a scream—

She's got a cracker o' a scheme!

SYRUP
JAM
TREACLE
RAISINS

I'VE BOUGHT US SOME CRACKERS TAE PULL ON CHRISTMAS DAY!
OOH! ME LIKE CRACKERS!
HUH! A COMPLETE WASTE O' MONEY, THAE THINGS!
CRACKERS

COME ON! HEAVE!
THAT LOT WE HAD LAST YEAR, SOME O' THEM WERE THAT TOUGH YE COULDNA PULL THEM!

SILENCE!
AYE, AND SOME O' THEM PULLED OPEN, A'RIGHT, BUT DIDNA CRACK!

MEBBE THE CHARM DRAPPED OOT!
NA, WE'RE WASTIN' OOR TIME SEARCHIN'— THERE WISNAE ANE!
AND SOME O' THEM DIDNA HAE HATS OR LUCKY CHARMS INSIDE THEM!

AYE, I'D FORGOTTEN A' THAT! MEBBE I SHOULD TAK' THIS LOT BACK TAE THE SHOP!

BUT JUST THEN—
CRACK!
CRACK!
CRACK!
WHISSAT?

IT'S A'RIGHT, MAW! THESE CRACKERS WILL BE GREAT ON CHRISTMAS DAY! ME AN' BELLA HAVE TESTED EVERY ONE!

Stink bombs — pistol — brand new catty—

This Christmas list drives Paw Broon batty!

HELLO! WHIT'S THIS?

SOMEBODY'S DRAPPED THEIR CHRISTMAS LIST . . . !

A NEW CATTY . . . CAPS FOR MY GUN . . . A WATER PISTOL . . .

STINK BOMBS . . . TRICK SET . . . SNEEZIN' POWDER —HELP M'BOAB!

MISCHIEF, NOTHIN' BUT MISCHIEF! WHIT'S WRANG WI' BOOKS OR JIGSAWS . . . ?
B-B-BUT IT'S NO' MY LIST!

IF IT WISNAE HIM, IT MUST BE YOU! COME ON, OWN UP! YE'RE HEADIN' FOR TROUBLE WI' THAT LOT!
B-B-BUT IT'S NO' MY LIST EITHER!

DINNA GIE ME THAT! ONE O' YOU MUST'VE WRITTEN THAT LIST. I'LL FIND OOT —
PAW, PAW! ME KNOWS!

IT WIS HIM THAT DRAPPED IT!
BLUSH!
THE BIG BAIRN!
WE MIGHT HAVE GUESSED!
HMPH!

The day their sockies—

A' went walkies!

HELLO, MAW. HI, JOE. NAE TIME FOR TEA THE NICHT. I'VE GOT A DATE.

SOON —
HERE, ANYBODY SEEN MY GUID CHECKED SOCKS?
NO.
IF YE'RE STUCK, YE CAN BORROW MINE.

BUT —
THERE'S NONE IN YOUR DRAWER EITHER, JOE!
ACH, TAK' A PAIR O' YER FAITHER'S, THEN!

UT AGAIN —
YE'LL NO' BELIEVE THIS, BUT PAW'S SOCK DRAWER'S EMPTY AS WELL!

THAT'S QUEER!
THEY'VE A' DISAPPEARED!

WAIT A MEENIT!

COME ON YOU TWA!

I THOUGHT AS MUCH!

SHE'S MAKIN' SURE NAEBODY'S GOIN' TAE GET MISSED OOT ON CHRISTMAS EVE!
SHOES

Granpaw's crafty, Granpaw's fly—

Granpaw gets his way, forby!

LET'S GO OWER AN' SEE HOW GRANPAW LIKED HIS CHRISTMAS PRESENT!
AYE!

BUT ONCE THERE . . .
WHAT? YE MEAN YE HAVENA OPENED IT YET?
NO, I HAVENAE GOT ROOND TAE IT YET!

NAE OFFENCE, MIND. IT'S JIST THAT AT MY AGE, I KEN IT'LL NO' BE VERY EXCITIN'!
HMPH!
HUH!

WELL, I KEN FINE THAT THE KIND O' THINGS AN AULD LAD LIKE ME GETS ARE AFFY BORIN' — LIKE SOCKS, OR HANKIES, OR GLOVES . . .

RIGHT, THEN, IF YE DINNA WANT OOR PRESENT, WE MICHT AS WEEL TAK' IT AWA'!

AW, COME ON! DINNA TAK' OFFENCE!
IN THE HUFF!

OUTSIDE —
HERE, YOU TWA — GET RID OF' THESE THINGS! AND WE NEED ANE O' YE TAE MAK' A TEMPORARY SACRIFICE!
I HOPE THE PAPER STICKS DOON AGAIN!

A'RICHT! A'RICHT! TAE KEEP THE PEACE, I'LL OPEN MY PRESENT AN' ACCEPT IT GRACEFULLY — WHITEVER IT IS!
HMM! VERY WELL!

JINGS! CRIVVENS! I DINNA BELIEVE IT!
AN' YOU THOUGHT IT WID BE SOMETHIN' BORIN' LIKE SOCKS OR GLOVES!

HE'LL NEVER GROW UP!
WINK!
I'M NO' DAFT!
NEVER MIND, WE'LL GET YE A NEW PAIR AS SOON AS THE SHOPS OPEN!